Cyfnod Allweddol

Taro'r Targed

Gwyddoniaeth

Llyfr Adolygu ac Ymarferion

Enw ....

Ysgol ....

Dosbarth / Set ....

Sut i ddefnyddio'r llyfr yma

Cynlluniwyd y llyfr yma yn ofalus i'ch helpu i baratoi ar gyfer Profion Cenedlaethol Cyfnod Allweddol 3. Bydd pawb sydd ym Mlwyddyn 9 yn eu sefyll.

Mae dwy 'haen' i'r Profion a chewch ddewis pa haen fydd yn gweddu orau i chi.
Mae'r Haen Is wedi'i hanelu at Lefelau 3-6 yn y Cwricwlwm Cenedlaethol.
Mae'r Haen Uwch wedi'i hanelu at Lefelau 5-7.
Gallwch ddefnyddio'r llyfr yma i ymarfer ar gyfer y ddwy haen.

Cyflwynir y Cwricwlwm Cenedlaethol yn y llyfr mewn cyfres o benodau byr a chlir. Mae'r gwaith wedi'i rannu'n 7 topig yr un ar gyfer Bioleg, Cemeg a Ffiseg, fel y gwelwch yn y Cynnwys (ar dudalen 4). Mae chwe thudalen i bob topig ac fe welwch eu cynllun yn cael ei egluro ar y dudalen gyferbyn.

Ar y dudalen gyferbyn, dylech ddarllen yr hyn sydd wedi'i ysgrifennu o dan **1** i **12** yn ofalus. Hyn fydd yn dangos i chi sut y cafodd y llyfr ei gynllunio i'ch helpu i adolygu ac ymarfer eich Gwyddoniaeth.

Pan fyddwch yn ateb y cwestiynau, gallwch naill ai ysgrifennu yn y llyfr neu ddefnyddio tudalen lân o bapur. Gofynnwch i'ch athro/athrawes beth i'w wneud.

Os bydd angen i chi edrych ar yr **Atebion** i'r Profion Cyflym (ar dudalen 140) gwnewch yn siŵr eich bod yn eu defnyddio i ddysgu a deall yr ateb cywir.

Mae'r Cwestiynau ar **Bapur A** (Lefelau 3-6) a **Phapur B** (Lefelau 5-7) i gyd yn debyg i'r hyn welwch chi yn y Profion Cenedlaethol, felly bydd y llyfr yn gyfle da i chi baratoi at y profion go iawn.

Ar ôl ateb y Cwestiynau, gallwch droi at yr atebion yng nghefn y llyfr. Edrychwch arnynt yn ofalus i weld ble golloch chi farciau ac er mwyn gwneud yn well y tro nesaf.

Os trowch i gefn y llyfr fe welwch chi **Eirfa**. Cewch yma ystyr y geiriau gwyddonol pwysig y bydd angen i chi eu deall.

Gobeithiwn y bydd y llyfr yma o ddefnydd i chi wrth baratoi ar gyfer y Profion.

Keith Johnson
Sue Adamson
Gareth Williams

Mae 3 rhan i bob un o'r 21 topig:

Mae pob topig yn dechrau fel hyn:

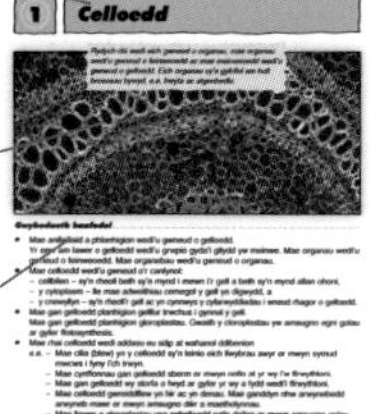

1. Pob topig wedi'i enwi'n glir ac ar bapur lliw: gwyn ar gyfer y rhan gyntaf, melyn ar gyfer Papur A a phorffor ar gyfer Papur B.

2. Llun neu ddiagram i gyflwyno'r topig dan sylw.

3. Crynodeb clir yn rhoi **Gwybodaeth hanfodol** am y testun dan sylw yn unol â'r Cwricwlwm Cenedlaethol.

4. Rhestr o **Eiriau Defnyddiol** a diagram. Dylai'r rhain eich helpu i ateb y Prawf Cyflym.

5. **Prawf Cyflym** – llenwi'r bylchau. Darllenwch y Geiriau Defnyddiol os bydd angen help arnoch.

6. Os na allwch ateb rhyw gwestiwn trowch at dudalennau 140-1 am yr **Atebion**.

Yr ail ran:

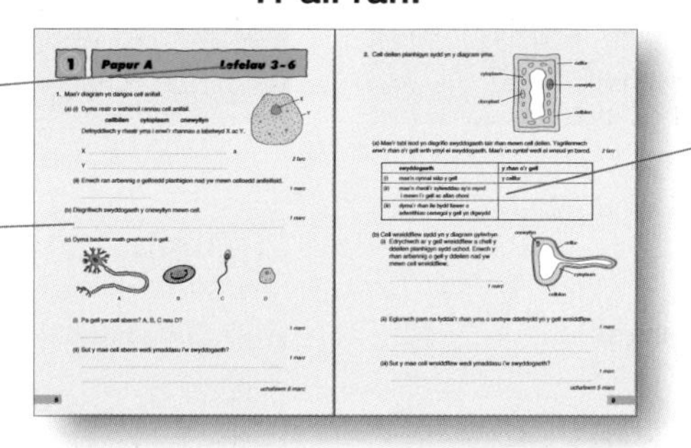

7. Dwy dudalen o **Gwestiynau ar gyfer Lefelau 3-6** ar yr Haen Is.

8. Bydd y Cwestiynau i gyd yn debyg o ran arddull i'r Profion Cenedlaethol y bydd yn rhaid i chi eu sefyll ar ddiwedd Blwyddyn 9. Dylech geisio ateb pob cwestiwn.

9. Gofynnwch i'ch athro a ddylech ysgrifennu yn y llyfr neu ar dudalen o bapur.

Y drydedd ran:

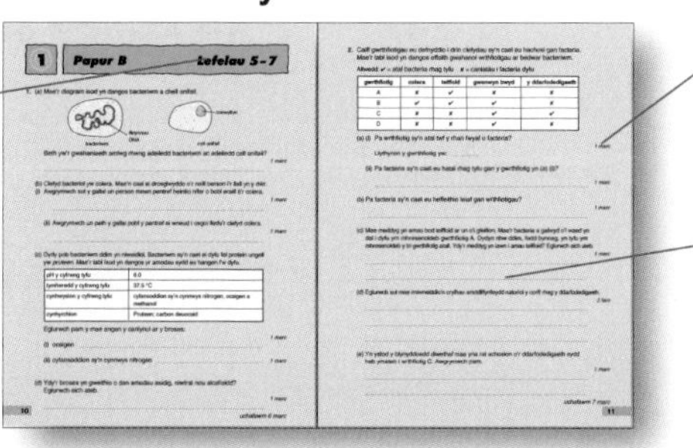

10. Dwy dudalen o **Gwestiynau ar gyfer Lefelau 5-7**. Ceisiwch ateb gymaint o gwestiynau ag y gallwch.

    Os byddwch yn sefyll y Prawf ar yr Haen Uwch, dylech ateb y Cwestiynau ar gyfer Lefelau 3-6 hefyd cyn ateb y cwestiynau hyn.

11. Bydd y **marc** yn cael ei ddangos ar gyfer pob cwestiwn yn union fel y Prawf ei hun.

12. Mae'r atebion wedi'u rhoi yng nghefn y llyfr.

Cynnwys

Bioleg

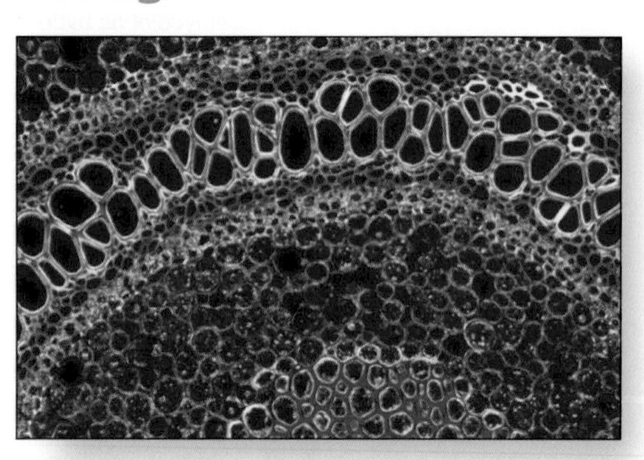

Cemeg

Ffiseg

1 Celloedd

Rydych chi *wedi eich gwneud o organau, mae organau wedi'u gwneud o feinweoedd ac mae meinweoedd wedi'u gwneud o gelloedd. Eich organau sy'n gyfrifol am holl brosesau bywyd, e.e. bwyta ac atgenhedlu.*

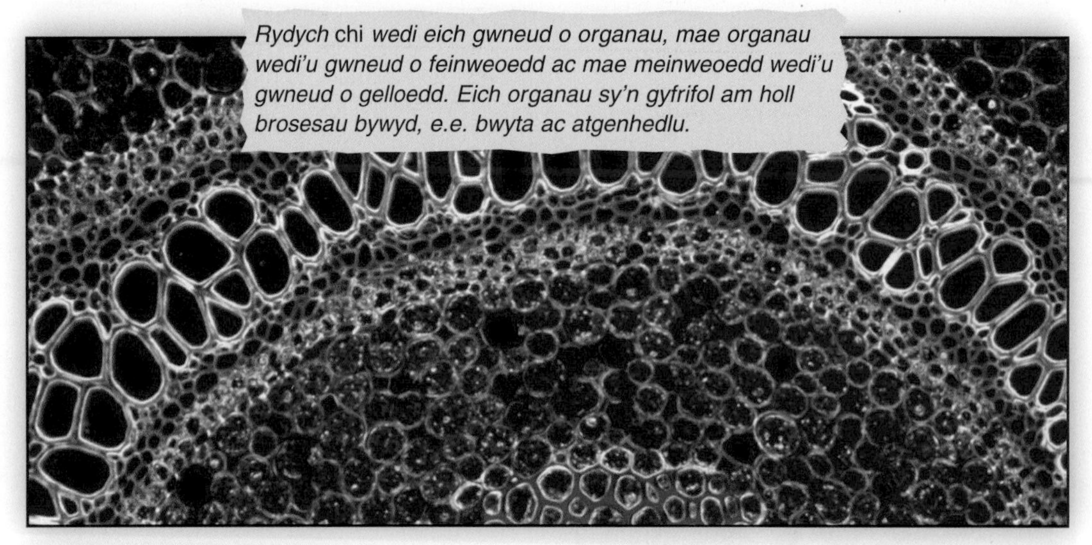

Gwybodaeth hanfodol

- Mae anifeiliaid a phlanhigion wedi'u gwneud o gelloedd.
  Yr enw am lawer o gelloedd wedi'u grwpio gyda'i gilydd yw meinwe. Mae organau wedi'u gwneud o feinweoedd. Mae organebau wedi'u gwneud o organau.
- Mae celloedd wedi'u gwneud o'r canlynol:
  – cellbilen – sy'n rheoli beth sy'n mynd i mewn i'r gell a beth sy'n mynd allan ohoni,
  – y cytoplasm – lle mae adweithiau cemegol y gell yn digwydd, a
  – y cnewyllyn – sy'n rheoli'r gell ac yn cynnwys y cyfarwyddiadau i wneud rhagor o gelloedd.
- Mae gan gelloedd planhigion gellfur trwchus i gynnal y gell.
  Mae gan gelloedd planhigion gloroplastau. Gwaith y cloroplastau yw amsugno egni golau ar gyfer ffotosynthesis.
- Mae rhai celloedd wedi addasu eu siâp at wahanol ddibenion
  e.e. – Mae cilia (blew) yn y celloedd sy'n leinio eich llwybrau awyr er mwyn symud mwcws i fyny i'ch trwyn.
  – Mae cynffonnau gan gelloedd sberm er mwyn nofio at yr wy i'w ffrwythloni.
  – Mae gan gelloedd wy storfa o fwyd ar gyfer yr wy a fydd wedi'i ffrwythloni.
  – Mae celloedd gwreiddflew yn hir ac yn denau. Mae ganddyn nhw arwynebedd arwyneb mawr er mwyn amsugno dŵr a maetholynnau.
  – Mae llawer o gloroplastau yng nghelloedd palis deilen er mwyn amsugno golau.
- Gall bacteria a firysau dyfu ac atgenhedlu y tu mewn i'ch corff. Bacteria a firysau yw prif achosion clefydau.
- Weithiau, os byddwch yn dal rhyw glefyd, bydd celloedd gwyn y gwaed yn gwneud gwrthgyrff. Gall gwrthgyrff eich amddiffyn a rhoi imiwnedd i chi rhag clefydau.
- Gall gwrthfiotigau a moddion eraill eich helpu i ymladd clefydau hefyd.

Geiriau Defnyddiol

cnewyllyn cytoplasm cellbilen

cellfur gwreiddflew palis cynffon

cilia amsugno sberm cloroplastau

wy organeb meinweoedd gwrthgyrff

gwrthfiotigau firysau imiwnedd

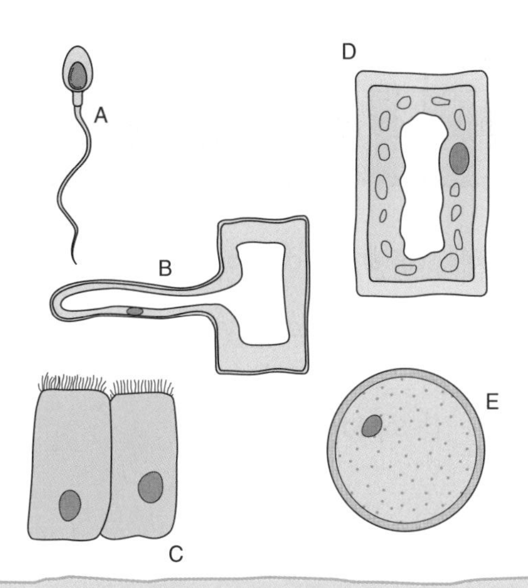

Prawf Cyflym ....

- Y tu allan i bob cell mae ______________[1].
  Mae'n amgylchynu'r ________________[2] lle mae adweithiau cemegol yn digwydd.
  Y ______________[3] sy'n rheoli'r gell ac sy'n cynnwys y cyfarwyddiadau i rannu celloedd, h.y. cellraniad.
- Yn y diagram:
  __________[4] yw Cell A. Mae ganddo _____________[5] fel y gall nofio at yr wy.
  Cell _____________[6] yw Cell B. Mae ganddi arwynebedd arwyneb mawr i ________[7] dŵr.
  Mae _______________[8] gan Gell C i symud mwcws ar hyd y llwybrau awyr.
  Cell ______________[9] yw Cell D. Mae ganddi lawer o ________________[10] i amsugno golau.
  Mae ganddi hefyd _____________[11] i gynnal y gell.
  ____________[12] yw Cell E. Mae ganddi storfa dda o fwyd.
- ____________[13] yw llawer o gelloedd wedi'u grwpio gyda'i gilydd. Mae organau wedi'u gwneud o feinweoedd. Mae ____________[14] wedi'i gwneud o organau.
- Gall rhai mathau o facteria a _____________[15] achosi clefydau.
  Er mwyn ymladd rhai clefydau bydd celloedd gwyn y gwaed yn gwneud cemegau. Yr enw ar y cemegau hyn yw _____________[16].
  Bydd y cemegau hyn yn aros yn eich corff i'ch diogelu rhag y clefyd.
  Bydd y cemegau hyn yn rhoi ____________[17] i chi.
  Gall moddion eraill fel ______________[18] eich helpu i ymladd clefydau hefyd.

Papur A Lefelau 3–6

1. Mae'r diagram yn dangos cell anifail.

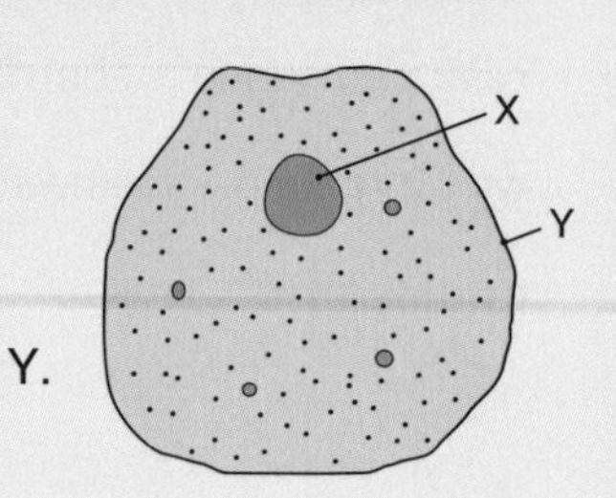

(a) (i) Dyma restr o wahanol rannau cell anifail.

cellbilen **cytoplasm** **cnewyllyn**

Defnyddiwch y rhestr yma i enwi'r rhannau a labelwyd X ac Y.

X ______________________ a

2 farc

Y ______________________

(ii) Enwch ran arbennig o gelloedd planhigion nad yw mewn celloedd anifeiliaid.

1 marc

____

(b) Disgrifiwch swyddogaeth y cnewyllyn mewn cell.

1 marc

____

(c) Dyma bedwar math gwahanol o gell.

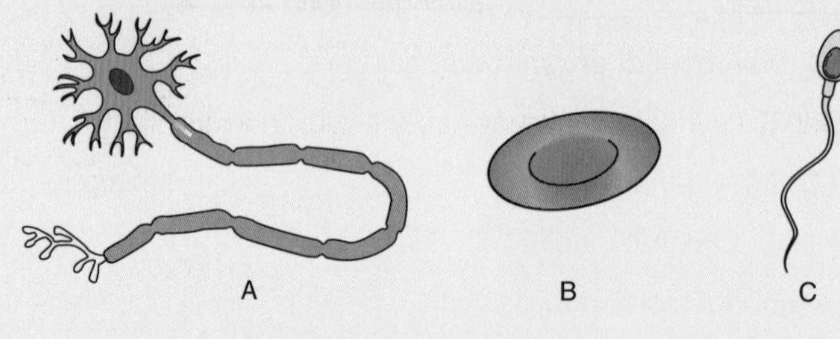

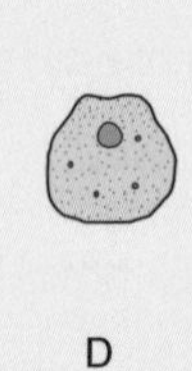

(i) Pa gell yw cell sberm? A, B, C neu D?

1 marc

______

(ii) Sut y mae cell sberm wedi ymaddasu i'w swyddogaeth?

1 marc

____

____

uchafswm 6 marc

2. Cell deilen planhigyn sydd yn y diagram yma.

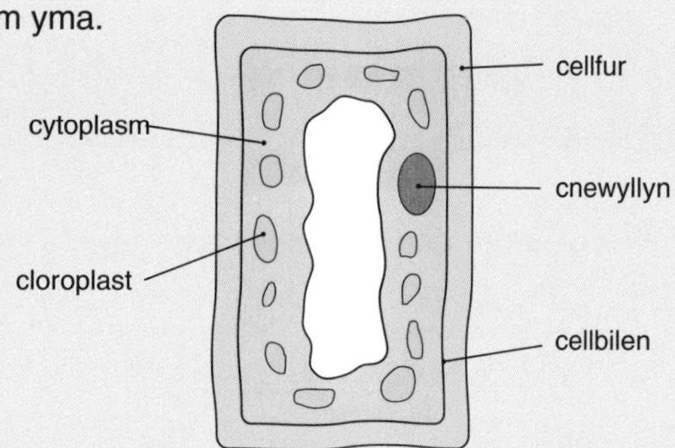

(a) Mae'r tabl isod yn disgrifio swyddogaeth tair rhan mewn cell deilen. Ysgrifennwch enw'r rhan o'r gell wrth ymyl ei swyddogaeth. Mae'r un cyntaf wedi ei wneud yn barod. *2 farc*

	swyddogaeth	**y rhan o'r gell**
(i)	mae'n cynnal siâp y gell	y cellfur
(ii)	mae'n rheoli'r sylweddau sy'n mynd i mewn i'r gell ac allan ohoni	
(iii)	dyma'r rhan lle bydd llawer o adweithiau cemegol y gell yn digwydd	

(b) Cell wreiddflew sydd yn y diagram gyferbyn.

(i) Edrychwch ar y gell wreiddflew a chell y ddeilen planhigyn sydd uchod. Enwch y rhan arbennig o gell y ddeilen nad yw mewn cell wreiddflew.

cnewyllyn
cellfur
cytoplasm
cellbilen

____

1 marc

(ii) Eglurwch pam na fyddai'r rhan yma o unrhyw ddefnydd yn y gell wreiddflew.

1 marc

____

____

(iii) Sut y mae cell wreiddflew wedi ymaddasu i'w swyddogaeth?

1 marc

____

uchafswm 5 marc

Papur B Lefelau 5 - 7

1. (a) Mae'r diagram isod yn dangos bacteriwm a chell anifail.

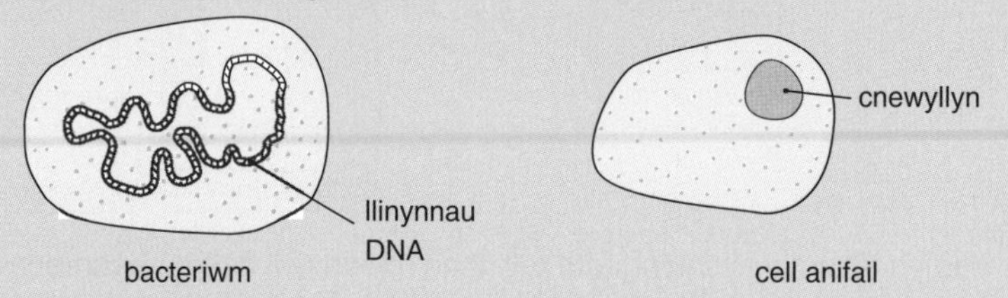

Beth yw'r gwahaniaeth amlwg rhwng adeiledd bacteriwm ac adeiledd cell anifail?

1 marc

____

(b) Clefyd bacteriol yw colera. Mae'n cael ei drosglwyddo o'r naill berson i'r llall yn y dŵr.

(i) Awgrymwch sut y gallai un person mewn pentref heintio nifer o bobl eraill â'r colera.

1 marc

____

(ii) Awgrymwch un peth y gallai pobl y pentref ei wneud i osgoi lledu'r clefyd colera.

1 marc

____

(c) Dydy pob bacteriwm ddim yn niweidiol. Bacteriwm sy'n cael ei dyfu fel protein ungell yw *pruteen.* Mae'r tabl isod yn dangos yr amodau sydd eu hangen i'w dyfu.

pH y cyfrwng tyfu	6.0
tymheredd y cyfrwng tyfu	37.5 °C
cynhwysion y cyfrwng tyfu	cyfansoddion sy'n cynnwys nitrogen, ocsigen a methanol
cynhyrchion	*Pruteen;* carbon deuocsid

Eglurwch pam y mae angen y canlynol ar y broses:

1 marc

(i) ocsigen ______________________________

(ii) cyfansoddion sy'n cynnwys nitrogen ______________________________ *1 marc*

(d) Ydy'r broses yn gweithio o dan amodau asidig, niwtral neu alcalïaidd? Eglurwch eich ateb.

1 marc

____

uchafswm 6 marc

2. Caiff gwrthfiotigau eu defnyddio i drin clefydau sy'n cael eu hachosi gan facteria. Mae'r tabl isod yn dangos effaith gwahanol wrthfiotigau ar bedwar bacteriwm.

Allwedd: ✔ = atal bacteria rhag tyfu ✘ = caniatáu i facteria dyfu

gwrthfiotig	colera	teiffoid	gwenwyn bwyd	y ddarfodedigaeth
A	✘	✔	✘	✘
B	✔	✔	✔	✘
C	✘	✘	✔	✔
D	✘	✘	✔	✘

(a) (i) Pa wrthfiotig sy'n atal twf y rhan fwyaf o facteria?

1 marc

Llythyren y gwrthfiotig yw: ________

(ii) Pa facteria sy'n cael eu hatal rhag tyfu gan y gwrthfiotig yn (a) (i)?

1 marc

____

(b) Pa facteria sy'n cael eu heffeithio leiaf gan wrthfiotigau?

1 marc

____

(c) Mae meddyg yn amau bod teiffoid ar un o'i gleifion. Mae'r bacteria a gafwyd o'i waed yn dal i dyfu ym mhresenoldeb gwrthfiotig A. Dydyn nhw ddim, fodd bynnag, yn tyfu ym mhresenoldeb y tri gwrthfiotig arall. Ydy'r meddyg yn iawn i amau teiffoid? Eglurwch eich ateb.

1 marc

____

____

(d) Eglurwch sut mae imiwneiddio'n cryfhau amddiffynfeydd naturiol y corff rhag y ddarfodedigaeth.

2 farc

____

____

____

(e) Yn ystod y blynyddoedd diwethaf mae yna rai achosion o'r ddarfodedigaeth sydd heb ymateb i wrthfiotig C. Awgrymwch pam.

1 marc

____

____

uchafswm 7 marc

2 Bwyd a threulio bwyd

Mae angen bwyd arnoch chi er mwyn cael egni ac er mwyn tyfu. Heb y bwyd iawn fyddwch chi ddim yn tyfu i fod yn iach ac yn gryf.

Gwybodaeth hanfodol

- Mae diet iach yn cynnwys amrywiaeth o fwydydd yn y meintiau cywir.
- Mae diet cytbwys yn cynnwys carbohydradau, proteinau, brasterau, halwynau mwynol, fitaminau, ffibr a dŵr.
- Mae angen carbohydradau a brasterau arnom fel tanwydd ar gyfer ein cyrff. Yn ystod resbiradaeth byddant yn rhyddhau egni.
- Mae bwyd sy'n cynnwys siwgr a startsh yn ffynhonnell dda o garbohydradau. Mae olew llysiau yn ffynhonnell dda o fraster.
- Mae angen proteinau arnom er mwyn tyfu. Byddwn yn eu defnyddio i greu celloedd newydd a thrwsio meinweoedd sydd wedi'u niweidio.
- Mae llawer o brotein mewn pysgod o chig.
- Mae angen ychydig o fitamin A, grŵp fitamin B, fitamin C, haearn a chalsiwm arnom i gadw'n iach.
- Mae angen ffibr i wthio bwyd ar hyd y coluddion. Mae llawer o ffibr mewn bwyd fel grawnfwyd a llysiau.
- Rhaid treulio'r bwyd yn gyntaf cyn bydd y corff yn gallu ei ddefnyddio. Ystyr treulio'r bwyd yw torri moleciwlau mawr anhydawdd i lawr yn foleciwlau bach hydawdd.
- Gall ensymau dreulio moleciwlau mawr o fwyd fel startsh, proteinau a brasterau.
- Rhaid i'r bwyd gael ei dreulio er mwyn mynd drwy wal y coluddion ac i mewn i'r gwaed.
- Mae deunydd sydd heb ei dreulio yn cael ei garthu (ei wthio allan) o'r coluddion fel gwastraff.
- Gall camddefnyddio alcohol effeithio ar ffordd o fyw'r unigolyn, ei deulu a'i iechyd.
- Gall camddefnyddio hydoddyddion a chyffuriau eraill effeithio ar eich iechyd.

Geiriau Defnyddiol

ffibr carbohydradau cytbwys

proteinau fitaminau brasterau halwynau mwynol

resbiradaeth treulio ensymau

anhydawdd gwaed carthu coluddion

hydoddyddion alcohol

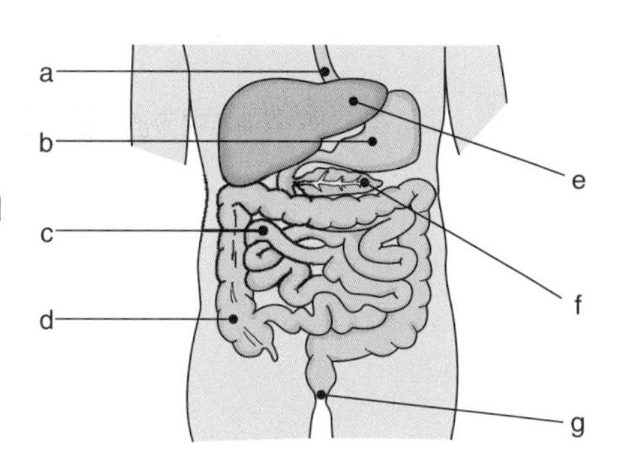

Prawf Cyflym ....

- Mae diet ___________[1] yn golygu bwyta'r bwydydd cywir yn y meintiau cywir.
  Prif danwydd y corff yw ___________[2] a ___________[3].
  Mae eu hangen er mwyn rhyddhau egni yn ystod ___________[4].
  Bydd angen ___________[5] arnoch er mwyn tyfu ac er mwyn atgyweirio celloedd a meinweoedd.
  Er mwyn cadw'n iach bydd angen ychydig o ___________[6] a ___________[7] arnoch.
  Bydd angen ___________[8] arnoch er mwyn ychwanegu swmp at y bwyd. Mae'n helpu'r cyhyrau yn wal y coluddion i wthio'r bwyd yn ei flaen.
- Mae ein bwyd wedi'i wneud o foleciwlau mawr ___________[9]. Rhaid iddo gael ei dorri i lawr yn foleciwlau bach hydawdd er mwyn i'r corff ei ddefnyddio. Yr enw am hyn yw ___________[10]. Er mwyn gwneud hyn byddwn yn cynhyrchu cemegau sy'n cael eu galw'n ___________[11]. Mae'r moleciwlau mawr yn cael eu torri'n rhai llai gan y ___________[12].
- Bydd cynhyrchion bwyd sydd wedi'i ___________[13] yn mynd drwy wal y ___________[14] i mewn i'r ___________[15]. Bydd bwyd sydd heb ei dreulio yn cael ei wthio allan o'r ___________[16] fel gwastraff. Yr enw am hyn yw ___________[17].
- Gall rhywun a fydd yn camddefnyddio ___________[18] fynd yn gaeth iddo a gall effeithio ar ei iechyd. Gall ___________[19] a chyffuriau eraill fod yn niweidiol i'r corff hefyd.
- Edrychwch ar y diagram o'r coluddion ar ben y dudalen.
  Defnyddiwch y geiriau hyn i'w labelu.

stumog	coluddyn bach	anws	pibell fwyd
iau/afu	pancreas	coluddyn mawr	

a. ___________[20] b. ___________ ___________[21] c. ___________[22] d. ___________[23]

e. ___________[24] f. ___________[25] g. ___________ ___________[26]

1. Mae diet cytbwys yn cynnwys amrywiaeth o fwydydd sy'n rhoi maetholynnau ac egni i ni. Fe welwch bedwar math gwahanol o fwyd gyferbyn.

Cig oen

Oren

Llaeth

Creision

(a) Pa fwyd sydd â'r ffynhonnell orau o'r canlynol:

(i) calsiwm? ______________________

(ii) fitamin C? ______________________

(iii) protein? ______________________

3 marc

(b) Enwch **un** grŵp arall o sylweddau, ar wahân i brotein, sydd ei angen arnom i gael diet iach. Rhowch un rheswm pam y mae angen y grŵp yma o sylweddau arnom.

1 marc

Y grŵp o sylweddau ______________________

Mae angen y grŵp yma o sylweddau arnom er mwyn ______________________ *1 marc*

(c) Pam y mae angen ffibr arnom mewn diet cytbwys?

1 marc

____

Mae'r siart bar gyferbyn yn dangos faint o galsiwm sy'n cael ei argymell bob dydd ar gyfer pobl o oed gwahanol.

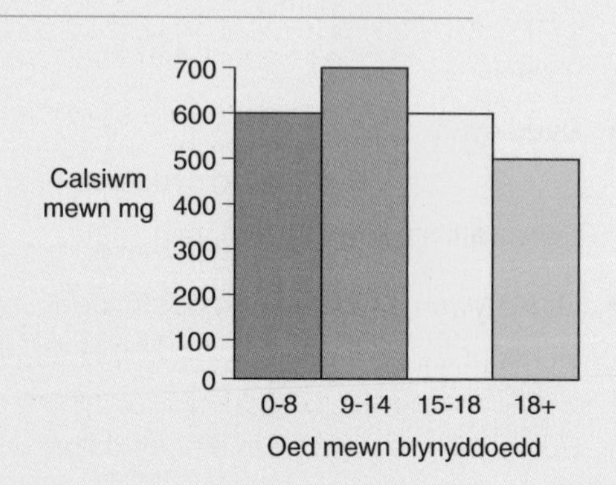

(d) Bydd angen llai o galsiwm ar bobl pan fyddan nhw wedi cyrraedd eu llawn dwf. Pam?

1 marc

____

____

(e) Eglurwch pam y bydd angen 1200 mg o galsiwm ar fam sy'n bwydo ei baban ar y fron.

1 marc

____

____

uchafswm 8 marc

2. (a) Mae rhai problemau iechyd yn cael eu hachosi gan ddiet anghytbwys.
Tynnwch linell rhwng pob un o'r problemau isod a'i achos. *1 marc*

problemau iechyd	achos
pwyso gormod	dim digon o haearn
dannedd pwdr	gormod o fwyd seimllyd
anaemia	gormod o fwyd melys

(b) Dyma rai o'r gwahanol grwpiau o sylweddau sydd mewn bwyd:

carbohydradau **brasterau** **halwynau mwynol** **proteinau** **fitaminau**

Pa un neu rai o'r grwpiau sylweddau yma:

1 marc

(i) sy'n cael ei ddefnyddio gan y corff i dyfu ac atgyweirio celloedd ____________

(ii) yw'r prif ffynonellau egni ar gyfer y corff? ____________ a *1 marc*

____

(c) Dyma ddiagram o ran o'r corff dynol.

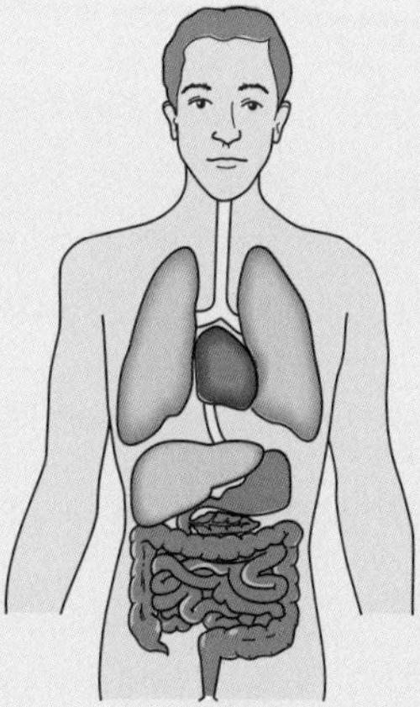

Ar y diagram labelwch **ddwy** ran o'r corff lle caiff bwyd ei dreulio. *2 farc*

(d) Enwch y grŵp o gemegau yn y corff sy'n helpu i dreulio bwyd.

____________ *1 marc*

(e) Wrth i fwyd gael ei dreulio bydd y moleciwlau mawr yn cael eu torri i lawr yn foleciwlau llai.
Pam y mae'n rhaid i hyn ddigwydd?

1 marc

____

____

____

uchafswm 7 marc

Papur B Lefelau 5–7

1. Mae carbohydradau, brasterau a phroteinau yn dri grŵp gwahanol o faetholynnau.
   (a) Enwch **ddau fath** arall o faetholynnau sydd eu hangen arnom mewn diet cytbwys.

2 farc

1 ______________ 2 ______________

Dyma dabl sy'n dangos cynnwys gwahanol fathau o fwyd.

bwyd	carbohydradau %	braster %	protein %
moron	5.40	0.00	0.70
oren	8.50	0.00	0.80
cig eidion	0.00	28.20	14.80
penwaig	0.00	14.10	16.00
bara	54.60	1.70	8.30
reis	86.80	1.00	6.20

(b) Pa fwyd sy'n cynnwys y rhan fwyaf o'r maetholyn sy'n cael ei ddefnyddio gan y corff i dyfu ac atgyweirio celloedd?

1 marc

____

(c) Dydy ffibr ddim yn cael ei dreulio ond mae'n dal i fod yn rhan bwysig o ddiet cytbwys. Pa fwyd yn y tabl sydd â'r lefel uchaf o ffibr?

1 marc

____

(d) Mae cynnyrch llaeth yn grŵp pwysig o fwyd.

1 marc

Enwch **un** cynnyrch llaeth sydd ddim yn y tabl ______________

Enwch faetholyn sydd yn y bwyd yma ______________

(e) Dyma ychydig o wybodaeth am yr egni sy'n cael ei gynhyrchu gan fwyd yn y corff.

Mae 1 g o garbohydrad yn cynhyrchu 16 kJ
Mae 1 g o fraster yn cynhyrchu 38 kJ
Mae 1 g o brotein yn cynhyrchu 17 kJ

Defnyddiwch y wybodaeth yma i gyfrifo'r lefel uchaf o egni a allai gael ei gynhyrchu yn y corff petaech yn bwyta 100 g o foron.

1 marc

____

uchafswm 6 marc

2. Edrychwch ar y siartiau cylch gyferbyn. Maen nhw'n dangos pa gyfran o wahanol fwydydd sydd yn niet pobl sy'n byw ar dri chyfandir y byd.

(a) Ym mha ran o'r byd y mae bwyd sy'n dod o anifeiliaid yn cynrychioli'r gyfran fwyaf o'r diet? *1 marc*

____

(b) Mae pobl De America yn bwyta ar gyfartaledd 1600 g o fwyd y dydd.
Tua faint ohono sy'n rawnfwyd?
1 marc

____

(c) Mae pobl Asia yn bwyta mwy o ffrwythau, llysiau a grawnfwyd na phobl sy'n byw ym Mhrydain. Mae llai o bobl yng ngwledydd Asia yn dioddef o ganser y coluddyn nag sydd ym Mhrydain. Enwch y grŵp bwyd sydd yn y math yma o fwyd ac eglurwch sut y mae'n helpu yn y coluddyn.
1 marc

Y grŵp bwyd yw _______________

Yn y coluddyn mae'n _______________

(d) Yn 1896 roedd meddyg o'r Iseldiroedd oedd yn gweithio yn Asia yn chwilio am yr hyn oedd yn achosi'r clefyd beriberi.
Rhoddodd ddau fath gwahanol o reis i ddau grŵp o ieir:
Grŵp A – reis â'r plisgyn wedi'i dynnu i ffwrdd
Grŵp B – reis â'r plisgyn wedi'i adael arno
Gwelodd y meddyg fod yr ieir yng Ngrŵp A yn datblygu beriberi tra oedd yr ieir yng Ngrŵp B yn hollol iach. Gwelodd hefyd y gallai'r ieir yng Ngrŵp A gael eu gwella drwy roi reis â phlisgyn iddyn nhw.

(i) Enwch y ddau beth y byddai'n rhaid i'r meddyg eu rheoli i wneud y prawf yn un teg.
2 farc

1 _______________

2 _______________

(ii) Ar ddechrau'r arbrawf roedd y meddyg yn credu mai germ oedd yn achosi'r clefyd beriberi. Eglurwch a gafodd hyn ei gadarnhau gan ganlyniadau'r arbrawf ai peidio. *1 marc*

(iii) Rydym yn gwybod erbyn hyn mai prinder maetholynnau arbennig yn y diet sy'n achosi beriberi. Enwch y maetholynnau hynny. *1 marc*

____

uchafswm 7 marc

3 Y corff actif

Mae'n rhaid i ni ymarfer er mwyn bod yn iach ac yn heini. Bydd ymarfer yn cadw ein hysgyfaint, ein calon a'n cyhyrau yn iach.

Gwybodaeth hanfodol

- Caiff ocsigen ei ddefnyddio yn eich celloedd i ryddhau egni o'r bwyd. Resbiradaeth yw'r enw am hyn.
  Ocsigen + glwcos → carbon deuocsid + dŵr + egni
- Yn ystod resbiradaeth, caiff glwcos ei dorri i lawr yn garbon deuocsid a dŵr.
- Bydd aer yn mynd i mewn i godennau aer eich ysgyfaint drwy'r tracea neu'r bibell wynt a'r llwybrau awyr.
- Bydd ocsigen yn mynd drwy'r codennau aer i mewn i'r capilarïau gwaed. Bydd carbon deuocsid yn mynd i'r cyfeiriad arall, o'r capilarïau gwaed i'r codennau aer.
- Mae cemegau niweidiol mewn mwg tybaco all niweidio'r ysgyfaint. Mae'n achosi clefydau fel canser yr ysgyfaint, broncitis a chlefyd y galon.
- Bydd eich gwaed yn cludo ocsigen a bwyd wedi'i hydoddi yn ogystal â charbon deuocsid a chemegau gwastraff eraill o gwmpas eich corff. Bydd bwyd ac ocsigen yn mynd o'r capilarïau gwaed i'r celloedd. Bydd carbon deuocsid a chemegau gwastraff eraill yn mynd i'r cyfeiriad arall.
- Mae eich sgerbwd yn cynnal ac yn amddiffyn eich corff ac yn eich galluogi i symud.
- Y cyhyrau sy'n rhoi'r grym sydd ei angen i symud yr esgyrn wrth y cymalau.
- Mewn pâr o gyhyrau, pan fydd un yn cyfangu, bydd y llall yn llaesu neu'n ymlacio. Yr enw llawn amdanyn nhw yw parau gwrthweithiol o gyhyrau.

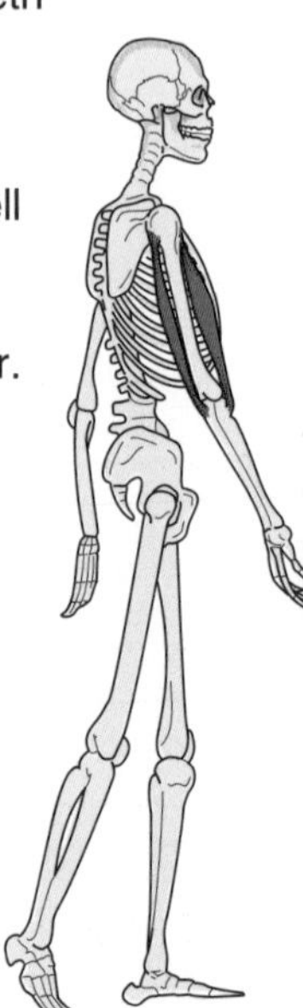

Geiriau Defnyddiol

ocsigen carbon deuocsid

resbiradaeth tracea

egni gwaed bwyd

broncitis canser

ysgyfaint arennau

cymalau esgyrn

sgerbwd amddiffyn

gwrthweithiol cyfangu

Y GALON

Y COLUDDION

CELLOEDD YN Y CORFF

YR YSGYFAINT

mae'r gwaed yn cludo ____________[30] i ffwrdd

mae'r gwaed yn casglu ____________[25] o'r fan yma

mae'r gwaed yn casglu ____________[26] ac yn gollwng ____________[27] yma

mae'r gwaed yn gollwng ____________[28] ac ____________[29] yma

Prawf Cyflym

- Yn ystod ____________[1] caiff glwcos ei dorri i lawr yn y celloedd i ryddhau ____________[2]. Bydd angen y nwy ____________[3] er mwyn i hyn ddigwydd. Wrth i'r glwcos gael ei dorri i lawr, caiff ____________[4] a dŵr eu cynhyrchu. Yr enw am y broses yma yw ____________[5]. Fe ddigwydd ym mhob cell yn eich corff.

- Mae eich ____________[6] wedi eu gwneud o filiynau o godennau aer bychan. Bydd aer yn mynd i'r codennau aer drwy'r ____________[7] a'r llwybrau aer. Bydd y nwy ____________[8] yn mynd drwy'r codennau aer i'r ____________[9] yn y capilarïau. Bydd y nwy ____________[10] yn mynd o'r capilarïau i'r codennau aer.

- Mae eich ____________[11] yn cludo ____________[12] o'ch ysgyfaint i'r meinweoedd, a ____________[13] o'r meinweoedd i'ch ____________[14].
  Mae eich ____________[15] hefyd yn cludo ____________[16] wedi'i hydoddi o'r coluddion a chemegau gwastraff i'ch ____________[17].

- Gall smygu achosi clefydau difrifol iawn fel ____________[18] yr ysgyfaint a ____________[19].

- Mae eich ____________[20] yn cynnal ac yn ____________[21] eich corff ac yn eich galluogi chi i symud. Y cyhyrau sy'n symud yr ____________[22] wrth y cymalau. Pan fydd un cyhyr mewn pâr yn ____________[23], bydd y llall yn llaesu. Dywedwn eu bod yn barau ____________[24] o gyhyrau.

- Edrychwch ar y diagram uchod. Defnyddiwch rai o'r geiriau defnyddiol i lenwi'r bylchau.

3 Papur A Lefelau 3–6

1. Mae gan y corff nifer o organau. Mae swyddogaeth wahanol i bob un ohonyn nhw.

(a) Mae'r llun yn dangos rhan o'r corff dynol. Enwch organau A a B.

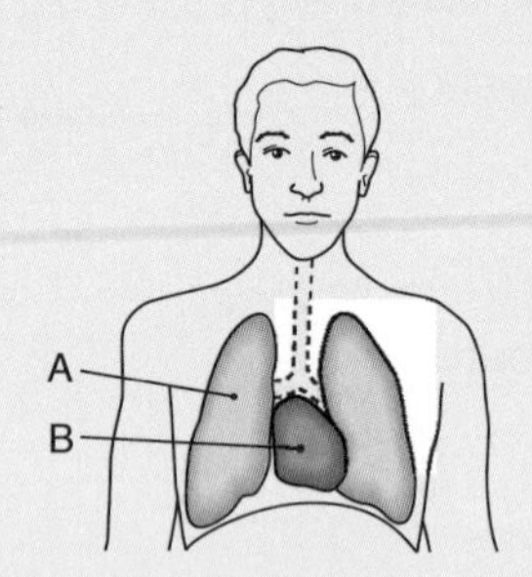

1 marc

A yw ______________________________

1 marc

B yw'r ______________________________

(b) Gorffennwch y tabl canlynol.

2 farc

system organau	**ei swyddogaeth yn y corff**
system cylchrediad y gwaed	
	amsugno'r ocsigen o'r aer i'r gwaed a gwaredu carbon deuocsid

(c) Resbiradaeth yw'r broses lle bydd egni yn cael ei ryddhau yn y corff. Cwblhewch yr hafaliad geiriau ar gyfer resbiradaeth.

1 marc

______________ + ocsigen ⟶ carbon deuocsid + ______________

(d) Mae'r diagram gyferbyn yn dangos un goden aer yn yr ysgyfaint. Enwch ddwy nodwedd codennau aer sy'n eu gwneud yn addas i gyfnewid nwyon.

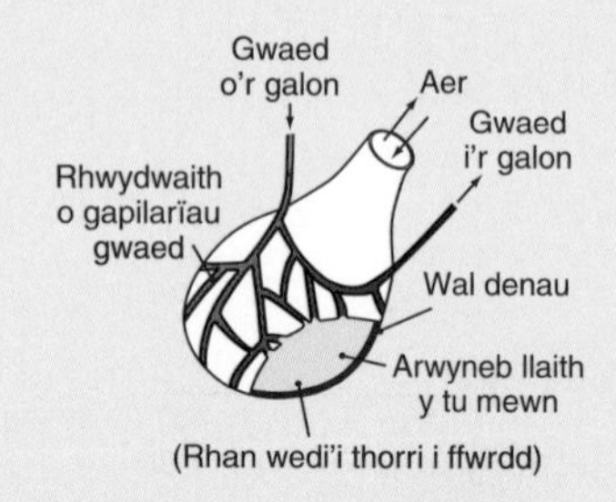

2 farc

1 ______________________________

2 ______________________________

(e) Mae'r codennau aer i'w gweld yn yr ysgyfaint gyda'i gilydd mewn grwpiau. Bydd smygwyr trwm yn aml yn pesychu. Bydd peswch cyson yn arwain at y waliau rhwng y codennau aer yn torri i lawr.

Awgrymwch reswm pam y mae'n rhaid i bobl sy'n smygu'n drwm anadlu'n gyflym iawn, hyd yn oed pan fyddan nhw'n cerdded yn araf. *2 farc*

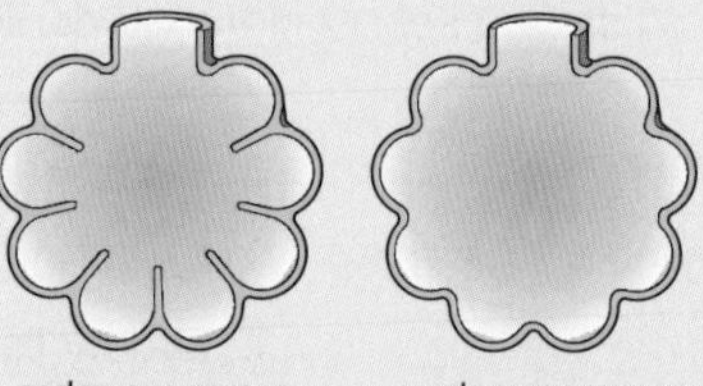

____

____

uchafswm 9 marc

2. (a) Pa halwyn mwynol mewn bwyd sy'n bwysig er mwyn i'r esgyrn dyfu?

1 marc

Ticiwch y bocs cywir.

calsiwm	A	potasiwm	C
haearn	B	sodiwm	D

(b) Dyma restr o enwau ar gyfer pedair rhan o'r sgerbwd.

pelfis **cawell asennau** **penglog** **asgwrn cefn**

Enwch y canlynol:

2 farc

(i) y rhan sy'n amddiffyn yr ymennydd rhag niwed __________

(ii) y rhan y mae'r coesau ynghlwm wrthi ________________

(c) Dyma ddiagram yn dangos llun braich.

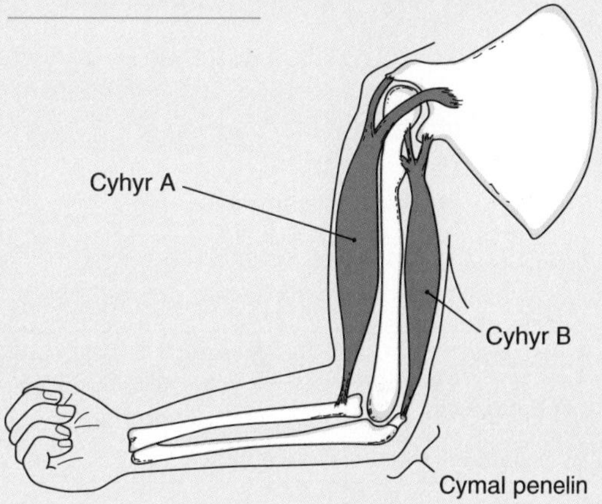

(i) Gorffennwch y brawddegau canlynol gan ddefnyddio'r geiriau **cyfangu** a **llaesu** yn unig.

2 farc

Pan fydd y fraich wedi'i phlygu wrth y penelin, bydd cyhyr A yn

____________________ a bydd cyhyr B yn ______________________.

Pan fydd y fraich yn syth, bydd cyhyr A yn ______________________

a bydd cyhyr B yn ________________________.

(ii) Pa air sy'n disgrifio parau o gyhyrau tebyg i A a B sy'n gweithio gyda'i gilydd?

1 marc

____

uchafswm 6 marc

3 Papur B Lefelau 5–7

1. (a) Dyma ddiagramau pedwar organ yn y corff dynol.
Dydyn nhw ddim wedi eu llunio wrth raddfa.

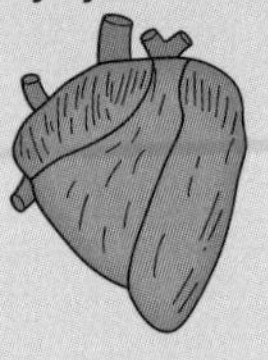

A

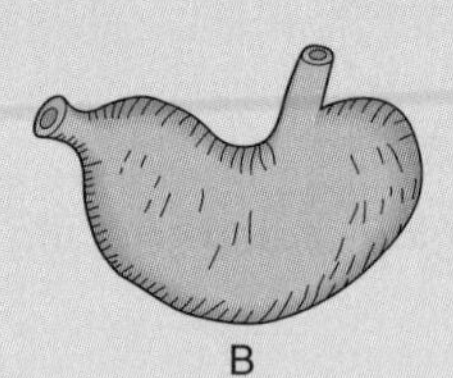

B

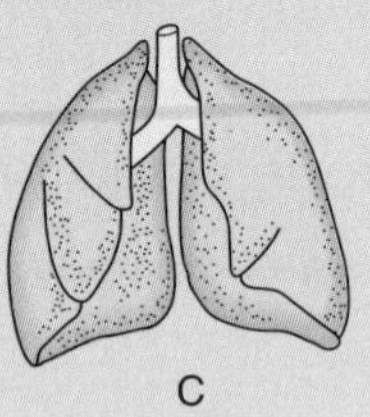

C

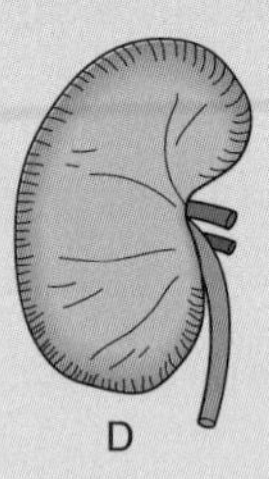

D

aren stumog calon ysgyfaint

Tynnwch linell rhwng pob organ a'i enw. *4 marc*

(b) Pa un o'r organau hyn sy'n rhan o'r canlynol:

2 farc

(i) system cylchrediad y gwaed? ______________________

(ii) y system resbiradaeth? ______________________

Mae'r tabl yn dangos llif y gwaed, mewn cm^3, i wahanol rannau o'r corff pan fydd yn gorffwys, pan fydd yn gwneud ymarferion gweddol galed a phan fydd yn gwneud ymarferion caled iawn.

adeiledd	yn gorffwys	ymarferion gweddol galed	ymarferion caled iawn
yr ymennydd	700	700	700
y coluddyn	1350	800	300
cyhyrau'r galon	250	550	950
cyhyrau'r sgerbwd	1200	8200	21 000

(c) Does dim newid yng nghyfradd llif y gwaed yn un o'r uchod. Pa un a pham?

2 farc

Adeiledd ______________________

Rheswm ______________________

(d) Eglurwch pam y mae cyfradd llif y gwaed i'r cyhyrau sgerbydol yn newid wrth i chi ymarfer.

2 farc

____

____

uchafswm 10 marc

2. Dyma ddiagram o gymal colfach.

(a) Ym mha ran o'r corff y mae'r cymal yma?

1 marc

____

(b) Eglurwch sut y mae cyhyr A a chyhyr B yn gwneud i esgyrn y cymal symud.

2 farc

____

____

____

Mae gwynegon/crydcymalau neu arthritis yn gyflwr sy'n effeithio ar esgyrn pobl. Dyma ychydig o fanylion amdano.

Mae crydcymalau esgyrnol neu osteo-arthritis yn gyffredin iawn mewn hen bobl. Traul ar y cymalau sy'n gyfrifol amdano. Bydd y cartilag llyfn yn torri i lawr a bydd talpiau esgyrnog yn datblygu ar yr wyneb sy'n symud.

Bydd llawer o'r un teulu yn aml yn dioddef o grydcymalau gwynegol neu reumatoid arthritis. Gyda'r cyflwr yma bydd meinwe cysylltiol yn tyfu yn y cymalau ac yn caledu. Bydd hyn yn ei gwneud hi'n anodd i'r cymalau symud.

Bydd crydcymalau yn aml yn effeithio ar gymal y clun. Gall cymalau wedi'u gwneud o ddur gwrthstaen (neu ditaniwm) a phlastig gael eu rhoi yn lle'r cymal diffygiol.

(c) Pa fath o grydcymalau sydd:

2 farc

(i) yn etifeddol? ________________________________

(ii) fwyaf tebygol o effeithio ar hen bobl? ________________________________

(d) Sut y bydd y cartilag yn helpu cymal cyffredin i weithio'n iawn?

1 marc

____

____

(e) Mae'r diagram yn dangos cymal clun artiffisial.

Wrth ba rannau o'r corff y caiff y ddwy ran eu rhoi?

1 marc

Rhan A ____

Rhan B ____

uchafswm 7 marc

4 Prifio

Fel y byddwn yn prifio byddwn yn newid o fod yn faban i fod yn blentyn ac yna, wedi cyrraedd yr arddegau, byddwn yn datblygu'n oedolyn. Yn ystod y cyfnod yma byddwn yn datblygu'n gorfforol ac yn feddyliol. Bydd ein hemosiynau yn newid wrth i ni gymysgu â phobl eraill.

Gwybodaeth hanfodol

- Mae'r tiwb sbermau yn cludo'r sberm sy'n cael ei wneud yn y ceilliau i'r pidyn; bydd y chwarennau yn ychwanegu hylif ato i wneud semen.
- Mae'r ddwythell wyau yn cludo wy o'r ofari i'r groth bob mis.
- Pan fydd pâr yn caru bydd sbermau yn cael eu rhoi yn y wain.
- Pan fydd ffrwythloni'n digwydd, bydd y sberm yn torri drwy'r wy a bydd cnewyllyn y sberm yn uno â chnewyllyn yr wy.
- Os caiff yr wy ei ffrwythloni bydd yn mynd i lawr y ddwythell wyau ac yn aros yn y groth.
- Bydd yr wy wedi'i ffrwythloni yn tyfu yn embryo yn gyntaf ac yna yn ffoetws.
- Bydd y brych yn gweithio fel rhwystr i heintiau a sylweddau niweidiol.
- Bydd y brych yn rhoi bwyd ac ocsigen i'r ffoetws ac yn gwaredu'r carbon deuocsid a chemegau gwastraff eraill.
- Bydd y goden hylif yn gweithio fel sioc laddwr er mwyn amddiffyn y ffoetws.
- Os na chaiff yr wy ei ffrwythloni, bydd leinin y groth yn torri i lawr ac yn cael ei waredu drwy'r wain. Mislif yw'r enw am hyn.
- Yn ystod llencyndod bydd ein cyrff a'n hemosiynau yn newid.
- Mewn bechgyn bydd sberm yn cael ei greu am y tro cyntaf, bydd blew yn dechrau tyfu ar y corff a bydd y llais yn dyfnhau.
- Mewn merched bydd wyau yn cael eu rhyddhau am y tro cyntaf, bydd eu bronnau'n dechrau datblygu a bydd y mislif yn dechrau.

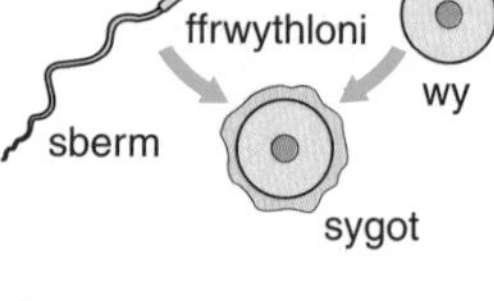

Geiriau Defnyddiol

ceilliau semen tiwb sbermau

y wain dwythell wyau y groth ofarïau

ffrwythloni embryo coden hylif llinyn

brych mislif llencyndod

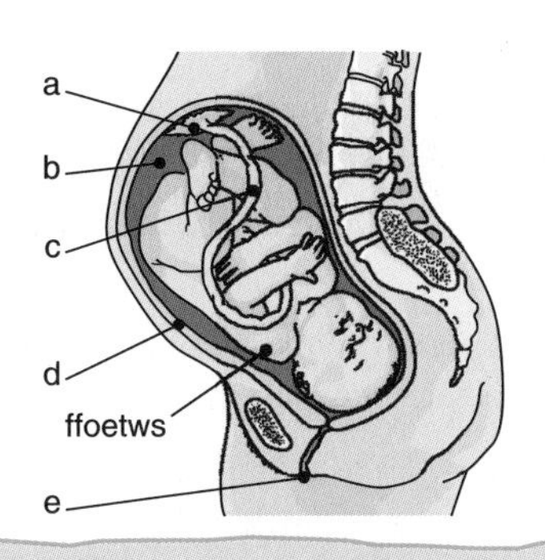

Prawf Cyflym

▶ Y __________[1] fydd yn gwneud sberm. Bydd y sberm yn mynd ar hyd y _______[2] i'r pidyn. Ar y ffordd, bydd y chwarennau yn ychwanegu hylif at y sbermau i wneud _______[3]. Y ________[4] fydd yn gwneud wyau. Bydd yr wy yn mynd ar hyd y _________________[5] tua _____________[6].

▶ Pan fydd pâr yn caru, bydd sbermau yn cael eu rhoi yn ______________[7]. Pan fydd ________________[8] yn digwydd, bydd y sberm yn torri drwy wy yn y _______________[9]. Bydd yr wy wedi'i ffrwythloni yn mynd i lawr y ______________[10] ac yn aros yn leinin _______________[11].
Bydd yr wy wedi'i ffrwythloni yn tyfu yn ______________[12] yn gyntaf ac yna yn ffoetws.

▶ Cyn hir bydd y _______________[13] yn ffurfio i amddiffyn y ffoetws. Bydd y ____________[14] yn rhoi bwyd ac ocsigen i'r ffoetws ac yn gwaredu'r carbon deuocsid a chemegau gwastraff eraill. Bydd y ffoetws yn cael ei ddal wrth y _________________[15] gan y __________________[16]. Bydd _______________[17] yn amgylchynu'r ffoetws ac yn gweithio fel sioc laddwr.

▶ Os na fydd wy wedi'i ffrwythloni bydd leinin ____________[18] yn torri i lawr a bydd rhywfaint o waed a chelloedd yn mynd allan o'r corff drwy ____________[19]. Yr enw am hyn yw ______________[20]. Yn ystod ______________________[21] bydd _________________[22] bechgyn yn dechrau gwneud sberm. Bydd blew yn tyfu ar hyd y corff a bydd eu llais yn torri.

▶ Yn ystod ______________________[23] bydd ______________[24] merch yn dechrau rhyddhau wyau. Bydd ei bronnau'n datblygu a bydd yn dechrau ar ei ________________[25].

▶ Edrychwch ar y diagram. Defnyddiwch rai o'r geiriau defnyddiol i gwblhau'r labeli:

a. ______________[26] b. ______________[27] c. _________[28] d. ___________[29] e. ____________[30]

Papur A Lefelau 3–6

1. Mae'r diagram yn dangos baban yn datblygu y tu mewn i groth y fam.

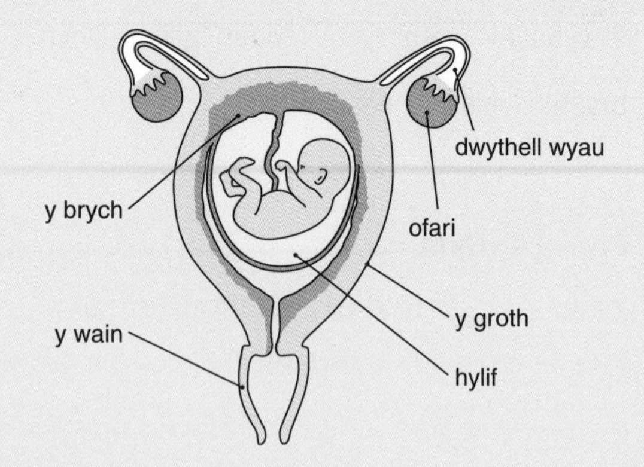

(a) Edrychwch ar y rhannau sydd wedi'u labelu a dywedwch:

2 farc

(i) ble gaiff yr wyau eu cynhyrchu?

____

(ii) trwy ba ran y bydd y baban yn mynd allan pan gaiff ei eni?

____

(b) Bydd sylweddau yn mynd o'r fam i'r baban drwy'r brych. Enwch **un** sylwedd a fydd yn mynd:

2 farc

(i) o'r fam i'r baban ____________________

(ii) o'r baban i'r fam ____________________

(c) (i) Os bydd merch sy'n feichiog yn smygu, gall sylweddau o'r mwg gyrraedd y baban yn y groth. Gall y sylweddau yma effeithio ar ddatblygiad ymennydd y baban.

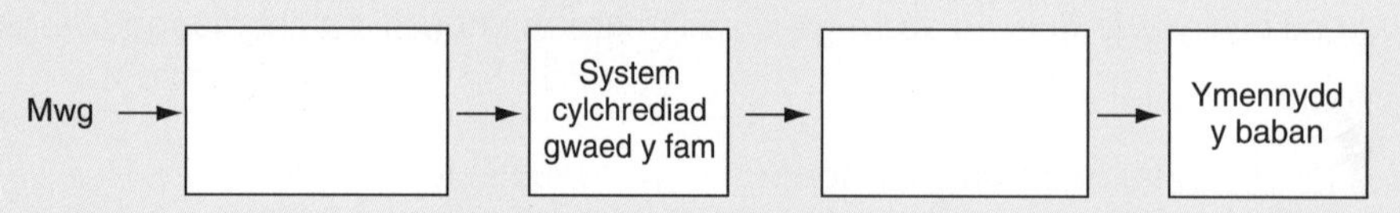

Gorffennwch y bocsys i gwblhau taith y sylweddau hyn. *1 marc*

(ii) Enwch **un** sylwedd arall a all, os caiff ei gymryd gan y fam, effeithio ar ddatblygiad y baban.

1 marc

____

(d) Yn ystod beichiogrwydd bydd y baban wedi'i amgylchynu gan hylif. Nodwch un ffordd y bydd hyn yn helpu'r baban sy'n datblygu.

1 marc

____

____

uchafswm 7 marc

2. Dyma bedwar cam sy'n rhan o'r broses sy'n cael ei galw'n atgenhedlu dynol.

ofwliad → ffrwythloni → cyfnod cario → geni

(a) Faint o amser fydd fel arfer rhwng yr ofwliad a'r geni?

1 marc

Ticiwch y bocs cywir.

20 wythnos	A	40 wythnos	C
30 wythnos	B	50 wythnos	D

(b) Ble y bydd y ffrwythloni yn digwydd fel arfer?

1 marc

Ticiwch y bocs cywir

ofari	A	y groth	C
dwythell wyau	B	y wain	D

(c) Beth fydd yn digwydd yn ystod y cyfnod cario?

1 marc

____

(d) Credir bod smygu yn effeithio ar ddatblygiad y baban yn y groth. Mae'r diagram yn dangos gwybodaeth am grŵp o famau a'u babanod.

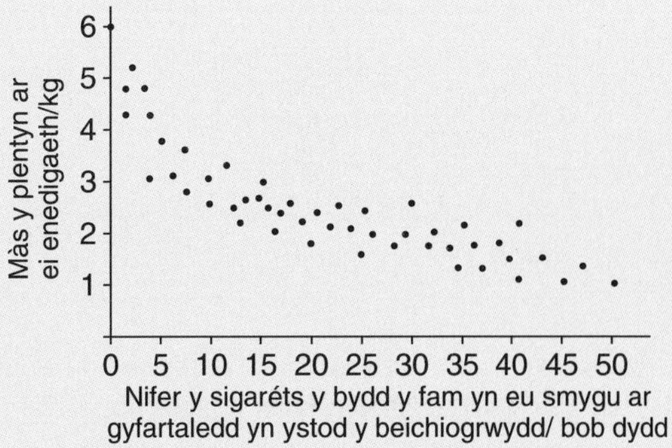

Màs y plentyn ar ei enedigaeth/kg

6
5
4
3
2
1

0 5 10 15 20 25 30 35 40 45 50

Nifer y sigaréts y bydd y fam yn eu smygu ar gyfartaledd yn ystod y beichiogrwydd/ bob dydd

(i) Cwblhewch y tabl isod.

2 farc

màs mwyaf ar enedigaeth	6 kg	nifer y sigaréts gaiff eu smygu	
màs isaf ar enedigaeth		nifer y sigaréts gaiff eu smygu	50

(ii) Beth yw'r patrwm rhwng mam yn smygu yn ystod beichiogrwydd a màs ei phlentyn ar ei enedigaeth.

1 marc

____

____

uchafswm 6 marc

Papur B — Lefelau 5–7

1. Mae'r tabl yn dangos masau cyfartalog babanod ar eu genedigaeth i dri grŵp gwahanol o famau.

grŵp	màs cyfartalog ar enedigaeth mewn kg
smygu'n drwm	3.15
smygu ychydig	3.27
ddim yn smygu	3.48

(a) Sut y mae smygu yn effeithio ar fàs baban ar ei enedigaeth?

1 marc

____

(b) Màs babanod mamau sydd ddim yn smygu yw 3.48 kg. Dyma'r gwerth cyfartalog. Mae'r gwerth cyfartalog yma hefyd yn cynnwys babanod a oedd yn pwyso llai na 3 kg a mwy na 4 kg. Rhowch **ddau** reswm pam y gall màs babanod sy'n cael eu geni i famau sydd ddim yn smygu fod mor amrywiol.

2 farc

1 ______________________________

2 ______________________________

(c) Eglurwch sut y caiff sylweddau eu trosglwyddo rhwng system cylchrediad gwaed y fam a system cylchrediad gwaed y baban yn y groth.

1 marc

____

____

(d) Awgrymwch pam ei bod hi'n bwysig na ddylai merch ddal rhai clefydau fel rwbela (y frech Almaenig) pan fydd yn feichiog.

1 marc

____

____

(e) Beth allwn ni ei wneud i sicrhau na fydd merched yn eu harddegau yn dal rwbela pan fyddan nhw'n hŷn.

____

____

1 marc

uchafswm 6 marc

2. Mae'r diagram yn dangos y system atgenhedlu mewn merched o'r ochr.

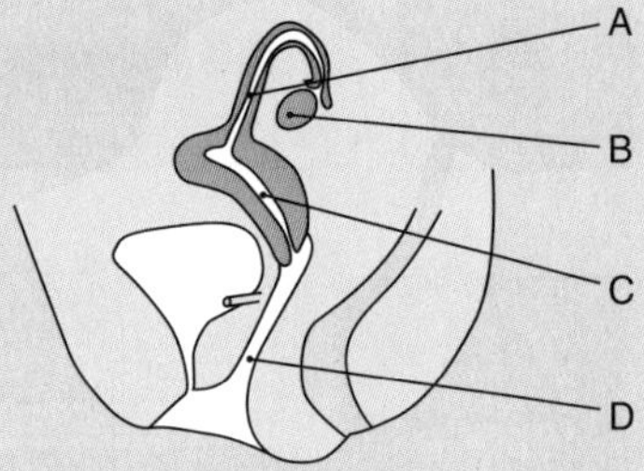

(a) Enwch y rhannau sydd wedi'u labelu â'r llythrennau A a B.

2 farc

A yw ______________________

B yw ______________________

(b) Ym mha ran ar y diagram, A, B, C neu D:

2 farc

(i) y bydd ffrwythloni fel arfer yn digwydd? ________

(ii) y bydd wy wedi'i ffrwythloni fel arfer yn glynu wrtho ac yn datblygu? ________

(c) Yn ystod beichiogrwydd, rhaid i'r fam fod yn ofalus am yr hyn y bydd yn ei fwyta a'i yfed. Awgrymwch ddau beth y bydd angen iddi eu newid, o bosib, yn ei diet er lles y baban sy'n datblygu yn ei chroth.

2 farc

1 ______________________

2 ______________________

(d) Gallwn ddweud mai'r brych yw 'coluddion, ysgyfaint ac arennau' y baban wrth iddo ddatblygu yn y groth. Sut y bydd yn brych yn gweithio fel:

3 marc

(i) y coluddion? ______________________

(ii) yr ysgyfaint? ______________________

(iii) yr arennau? ______________________

(e) Bydd llawer o newidiadau yn digwydd i bobl ifanc yn ystod llencyndod. Enwch un newid corfforol ac un newid emosiynol a fydd yn digwydd i bobl yn ystod llencyndod.

2 farc

Newid corfforol ______________________

Newid emosiynol ______________________

uchafswm 11 marc

5 Planhigion ar waith

Caiff planhigion eu defnyddio i gynhyrchu bwyd, tanwydd, deunydd adeiladu a meddyginiaethau. Mae planhigion hefyd yn cymryd carbon deuocsid gwastraff o'r aer ac yn gwneud ocsigen i ni ei anadlu.

Gwybodaeth hanfodol

- Mae planhigion gwyrdd yn defnyddio cloroffyl i amsugno egni ar ffurf golau.
- Mae planhigion gwyrdd yn defnyddio'r egni yma i newid carbon deuocsid a dŵr yn siwgr ac ocsigen. Ffotosynthesis yw'r enw am hyn.

$$\text{carbon deuocsid} + \text{dŵr} \xrightarrow[\text{cloroffyl}]{\text{egni golau}} \text{siwgr} + \text{ocsigen}$$

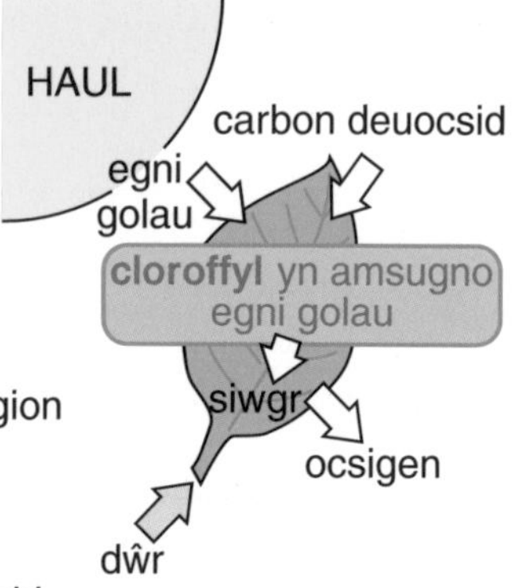

- Bydd planhigion yn rhyddhau ocsigen all gael ei ddefnyddio gan anifeiliaid ar gyfer resbiradaeth.
- Byddant hefyd yn defnyddio gwastraff carbon deuocsid.
- Bydd planhigion hefyd yn defnyddio ocsigen ar gyfer eu resbiradaeth eu hun.
- Mae angen maetholynnau o'r pridd, fel nitradau, ar blanhigion hefyd er mwyn tyfu'n iach.
  Caiff gwrteithiau eu defnyddio i roi maetholynnau ychwanegol yn y pridd.
  Bydd gwreiddflew yn amsugno dŵr a maetholynnau o'r pridd.
- Bydd yr antheri yn gwneud gronynnau paill a bydd yr ofari yn gwneud ofwlau.
- Ystyr y gair peillio yw bod y paill yn cael ei drosglwyddo o'r antheri i'r stigma.
- Bydd ffrwythloni'n digwydd pan fydd cnewyllyn y paill yn uno â chnewyllyn yr ofwl.
- Ar ôl i'r ffrwythloni ddigwydd, bydd yr ofari yn newid yn ffrwyth a bydd yr ofwl yn tyfu'n hedyn. O dan yr amodau iawn gall yr hedyn dyfu'n blanhigyn newydd.

Geiriau Defnyddiol

carbon deuocsid ffotosynthesis cloroffyl

maetholynnau ocsigen nitradau gwreiddflew

resbiradaeth gwrteithiau peillio

ffrwythloni ofwl ffrwyth paill

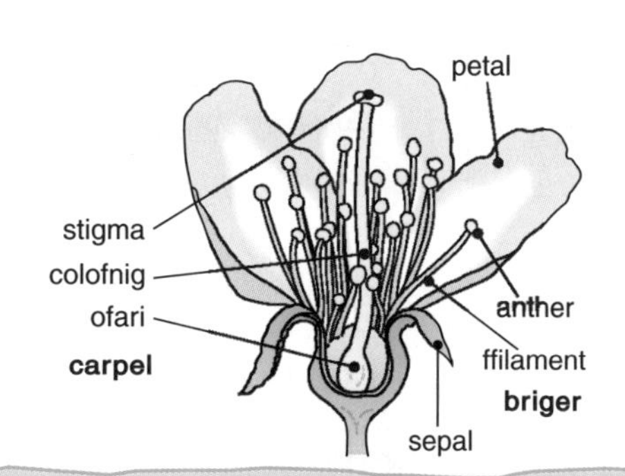

Prawf Cyflym

▶ Y ______________[1] sydd mewn planhigion gwyrdd sy'n amsugno egni golau ar gyfer ________________[2].

Bydd planhigion yn defnyddio'r egni golau yma i wneud siwgr a ________[3].

Yn ystod ______________[4] bydd planhigion yn defnyddio ______________[5] a dŵr.

▶ Bydd rhywfaint o'r ____________[6] sy'n cael ei gynhyrchu gan blanhigion yn cael ei ddefnyddio gan anifeiliaid ar gyfer ___________________[7]. Bydd planhigion hefyd yn defnyddio rhywfaint o'r ______________[8] yma at eu ____________[9] eu hun. Yn ystod ____________[10] bydd planhigion yn tynnu o'r aer y ________________[11] sy'n cael ei wneud yn ystod ____________________[12].

▶ Yn ogystal â _________________________________[13] a dŵr, mae angen ______________[14] ar blanhigion hefyd er mwyn tyfu'n iach.

Mae ffosffadau a _____________[15] yn _____________[16] pwysig mewn planhigion.

Os yw'r pridd yn brin o ________________[17] gall y ffermwr roi rhagor ato ar ffurf _____________________[18].

Caiff dŵr a ________________[19] eu cymryd o'r pridd drwy'r ______________[20].

▶ Bydd yr antheri yn gwneud y celloedd gwryw h.y. y gronynnau ______________[21] a bydd yr ofari yn gwneud y celloedd benyw h.y. yr ____________[22]. Yr enw am drosglwyddo gronynnau ______________[23] o'r antheri i'r stigma yw ___________[24]. Pan fydd cnewyllyn y gronyn ___________[25] yn uno â chnewyllyn yr ___________[26], bydd ____________________[27] yn digwydd.

Ar ôl ________________[28], bydd yr ofari yn tyfu'n ____________[29] a bydd y ____________[30] yn tyfu'n hedyn.

Papur A Lefelau 3–6

1. (a) Mae'r diagram isod yn dangos planhigyn blodeuol.
Tynnwch linell rhwng pob un o'r rhannau sydd mewn cylch a'r disgrifiad cywir o'i swyddogaeth.
Mae'r un cyntaf wedi ei wneud yn barod. *3 marc*

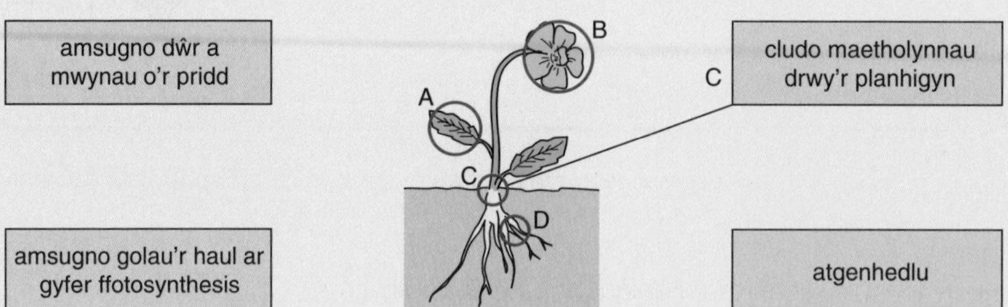

(b) Mae'r nwyon canlynol mewn aer.

argon carbon deuocsid nitrogen ocsigen

Enwch y nwy:

2 farc

(i) sy'n cael ei ddefnyddio yn ystod ffotosynthesis ____________________

(ii) sy'n cael ei gynhyrchu yn ystod ffotosynthesis ____________________

(c) Aeth Elin ati i dyfu ychydig o hadau ar wlân cotwm mewn dysgl ger ffenestr. Fel hyn roedden nhw'n edrych ar ôl chwe diwrnod:

gwlân cotwm

(i) Beth fyddwn ni'n ei roi ar y gwlân cotwm i alluogi'r hadau i egino a thyfu?

1 marc

____

(ii) Eglurwch pam y tyfodd yr hadau fel hyn.

1 marc

____

____

(d) Eglurwch pam mai dail planhigion yn unig, ac nid eu gwreiddiau, sy'n wyrdd.

2 farc

____

____

uchafswm 9 marc

2. Mae'r llun isod yn dangos blodyn sydd wedi'i dorri yn ei hanner. A, B, C a D yw gwahanol rannau'r blodyn.

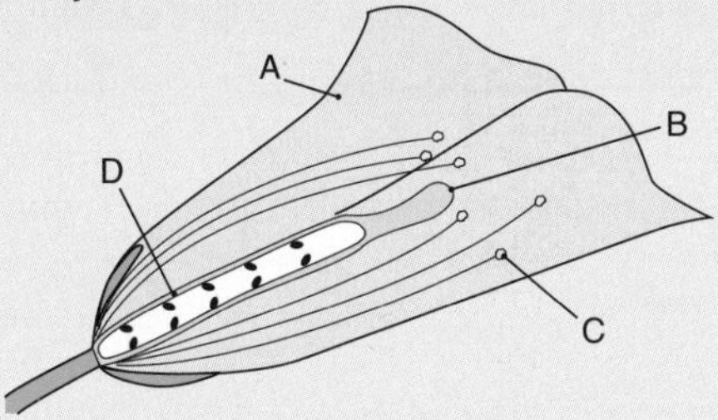

A
B
D
C

(a) Ysgrifennwch y llythyren gywir wrth ymyl pob rhan yn y tabl.

4 marc

rhan o'r blodyn	llythyren
anther	
ofari	
petal	
stigma	

(b) Enwch y rhan o'r blodyn yn y tabl uchod:

4 marc

(i) sy'n denu pryfed at y blodyn ____________________

(ii) sy'n derbyn paill gan y pryfed ____________________

(iii) sy'n troi yn y pen draw yn goden hedyn ____________________

(iv) sy'n gwneud y paill sy'n cael ei rwbio ar bryfed ____________________

(c) Bydd y prosesau canlynol yn digwydd yn ystod oes planhigyn.

ffrwythloni **peillio** **gwasgaru hadau** **ffurfio hadau**

Ysgrifennwch y prosesau hyn yn y drefn gywir fel y byddant yn digwydd.

1 marc

peillio → ____________________ →

____________________ → ____________________

(d) Mae storfa o fwyd mewn hadau. Eglurwch pam y mae ei hangen.

1 marc

____

____

uchafswm 10 marc

Lefelau 5–7

1. (a) Gorffennwch yr hafaliad geiriau isod ar gyfer ffotosynthesis.

1 marc

______________ + carbon deuocsid → ______________ + ______________

(b) Rhowch ddau reswm pam y bydd ffotosynthesis yn digwydd gyflymaf o gwmpas canol dydd.

2 farc

1 ____

2 ____

(c) Enwch un elfen sydd ei hangen ar blanhigion er mwyn tyfu na allant mo'i chael drwy ffotosynthesis. Eglurwch sut y byddant yn cael yr elfen yma.

2 farc

Enw'r elfen ______________________

Byddant yn cael yr elfen yma drwy ______________________________

____

____

(d) Gorffennwch yr hafaliad geiriau canlynol ar gyfer resbiradaeth

1 marc

______________ + ______________ → carbon deuocsid + ______________

(e) Mae'r diagram yn dangos gwahanol rannau moronen. Pa dystiolaeth, ar sail adeiledd y foronen, sy'n dangos bod y gyfradd ffotosynthesis yn fwy na'r gyfradd resbiradaeth.

1 marc

____

____

____

____

uchafswm 7 marc

2. Mae'r diagram yn dangos blodyn sydd wedi'i dorri yn ei hanner.

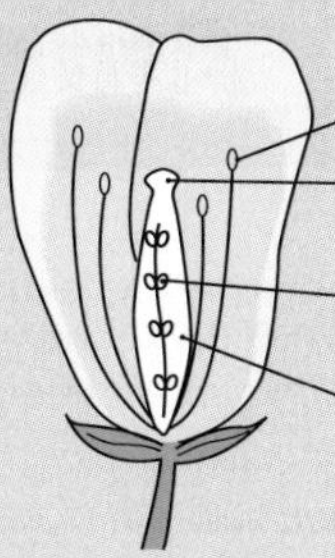

(a) Yn ystod atgenhedliad rhywiol, pa rannau sydd wedi'u labelu ar y blodyn fydd yn troi yn y pen draw:

2 farc

anther
stigma
ofwl
ofari

(i) yn hedyn ____________________

(ii) yn goden hedyn ____________________

(b) Beth sy'n digwydd yn ystod peillio?

1 marc

____

____

(c) Beth sy'n digwydd yn ystod ffrwythloni?

1 marc

____

____

(d) Tegeirian (*orchid*) o ynys Madagascar yw'r *Angraecum sesquipedale.* Mae ganddo flodyn gwyn anarferol. Mae neithdarle'r blodyn ar waelod sbardun 30 cm o hyd. Yn 1862 dywedodd Charles Darwin bod y blodyn yma yn cael ei beillio gan wyfyn y nos oedd â phroboscis (rhan arbennig o'r geg) 30 cm yn ei hyd o leiaf. Yn 1903 cafodd y gwyfyn ei enwi a chafodd Darwin ei brofi'n gywir.

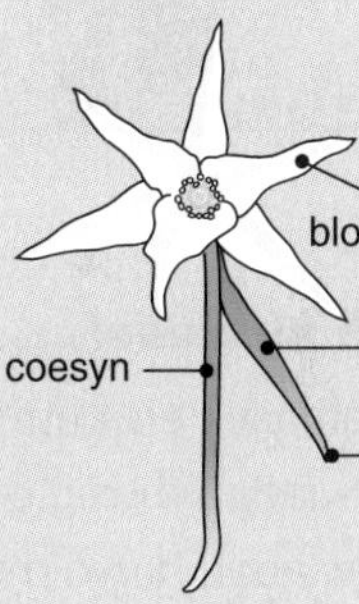

blodyn gwyn
coesyn
sbardun
neithdarle

Eglurwch sut y gallai Darwin wneud y fath ddatganiad.

3 marc

____

____

____

____

____

uchafswm 7 marc

6 Amrywiadau

Byddwn yn etifeddu llawer o'n nodweddion gan ein rhieni. Byddant yn cael eu trosglwyddo o'r naill genhedlaeth i'r llall.

Gwybodaeth hanfodol

- Rhywogaeth yw'r enw am yr un math o anifeiliaid a phlanhigion.
- Mae amrywiadau rhwng *gwahanol* rywogaethau e.e. y gwahaniaeth rhwng cathod a chŵn.
- Mae amrywiadau hefyd rhwng unigolion o'r un rhywogaeth e.e. y gwahaniaeth rhwng cŵn domestig.
- Byddwn yn etifeddu rhai nodweddion gan ein rhieni.
- Bydd rhai nodweddion eraill yn cael eu hachosi gan ein hamgylchedd.
- Mae rhai amrywiadau yn *raddol* e.e. taldra. Dydy rhai amrywiadau eraill ddim yn raddol e.e. lliw y llygaid.
- Gall pethau byw gael eu rhannu'n grwpiau sydd â nodweddion tebyg.
- Mae anifeiliaid sydd ag asgwrn cefn yn cael eu galw'n fertebratau. Infertebratau yw'r enw am anifeiliaid heb asgwrn cefn.
- Bydd rhai planhigion yn atgenhedlu drwy wneud hadau ac eraill drwy wneud sborau.
- Gall rhai nodweddion defnyddiol gael eu bridio *i mewn* i rai anifeiliaid a phlanhigion; gall rhai nodweddion llai defnyddiol gael eu bridio *allan* ohonyn nhw.

  Gall bridio detholus arwain at gynhyrchu amrywiaethau newydd o blanhigion ac anifeiliaid.

Geiriau Defnyddiol

rhywogaeth etifeddu arthropodau

dosbarthu rhieni seren fôr

amgylchedd pryfed pry genwair

mwsogl adar conwydd

pysgod molwsgiaid detholus

cynnyrch slefren fôr

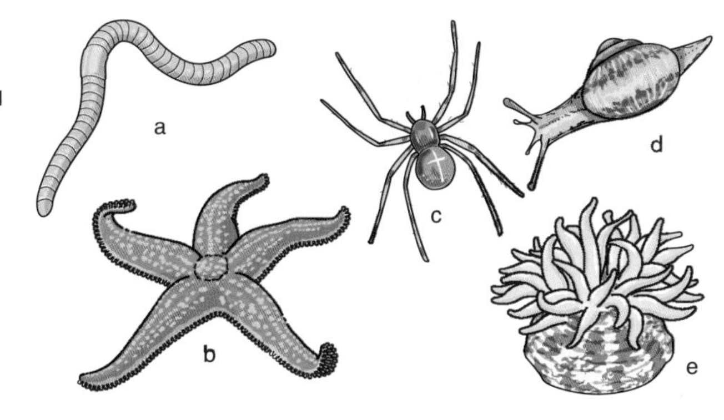

Prawf Cyflym

- Mae grŵp o anifeiliaid neu blanhigion sy'n debyg iawn i'w gilydd yn perthyn i'r un ________[1]. Gallwn rannu pethau byw yn grwpiau. Mae gan aelodau o'r grwpiau yma nodweddion *tebyg/gwahanol*[2].

- Cawn rai o'n nodweddion gan ein ________________[3]. Byddwn yn eu _____________[4]. Mae nodweddion eraill yn cael eu hachosi gan ein ffordd o fyw neu ein _______________[5].

  Rhowch gylch o gwmpas y nodweddion sy'n cael eu hetifeddu[6,7,8,9] :

grŵp gwaed	siarad Ffrangeg	taldra	creithiau
hyd y gwallt	llygaid brown	brychni haul	ysgrifen daclus

- _____________[10] yw'r gair am roi pethau byw tebyg mewn grwpiau.

  Pa grwpiau sydd â'r nodweddion hyn?

  Adenydd, plu ac yn gallu hedfan: ____________[11]

  Corff hir siâp tiwb wedi'i rannu'n segmentau: ____________[12]

  Dim blodau a'r hadau'n cael eu gwneud y tu mewn i gôn: _________________[13]

  Yn byw mewn dŵr, yn medru nofio ag esgyll ac anadlu drwy'r tagellau: __________[14]

  6 choes, 3 rhan i'r corff, adenydd: ______________[15]

  Mae cragen gan lawer a byddant yn symud ar droed o gyhyr: _________________[16]

  Gwreiddiau gwan, dail tenau ac yn gwneud sborau: ______________[17]

- Mae pobl wedi defnyddio bridio ___________[18] i gynhyrchu cnydau sy'n rhoi mwy o ________[19] a gwartheg sy'n rhoi mwy o laeth. Gall bridio _________________[20] arwain yn y pen draw at amrywiaethau newydd.

- Enwch y grwpiau o anifeiliaid y mae'r 5 anifail uchod yn perthyn iddynt a. ____________[21] b. _____________[22] c. ________________[23] d. ________________[24] e. ____________[25]

Papur A Lefelau 3–6

1. (a) Dyma rai o'r anifeiliaid a ddaliodd Tomos mewn trapiau roedd wedi'u gosod yn yr ardd.

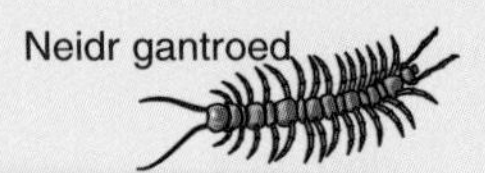

Rhowch enw'r anifail cywir wrth bob disgrifiad. *4 marc*

A	Corff segmentiedig a sawl pâr o goesau	
B	Corff segmentiedig a 6 choes	
C	Corff meddal â chragen	
D	Corff segmentiedig ac 8 coes	

(b) Byddai Tomos yn mynd allan i weld beth oedd yn trapiau yn y bore ac yn y nos. Dyma ganlyniadau ei ymchwiliadau am 1 wythnos:

		Malwen	Pry cop	Neidr gantroed	Chwilen		Malwen	Pry cop	Neidr gantroed	Chwilen
Llun	Bore	0	0	0	1	Nos	0	2	1	5
Mawrth	Bore	1	0	1	0	Nos	0	1	1	1
Mercher	Bore	0	0	0	0	Nos	1	0	2	3
Iau	Bore	0	1	0	0	Nos	1	2	1	2
Gwener	Bore	0	0	0	1	Nos	1	1	0	1

(i) Pa anifail yw'r un mwyaf cyffredin yn yr ardd?

1 marc

____

(ii) Pryd mae'r anifeiliaid yn yr ardd fwyaf gweithgar?

1 marc

____

(iii) Pam roedd hi'n bwysig i Tomos edrych yn y trapiau yn y bore a'r nos?

1 marc

____

uchafswm 7 marc

2. Dyma dri math gwahanol o gwningod. Maen nhw'n byw mewn gwahanol amgylchoedd.

Math A Math B Math C

(a) Ym mha ffordd maen nhw'n edrych yn wahanol?

1 marc

(b) (i) Mae Cwningen A yn byw ar ddiffeithdir poeth, agored. O'r wybodaeth sydd yn y diagram eglurwch sut y mae'n gweddu i'w hamgylchedd.

1 marc

(ii) Mae Cwningen C yn byw mewn coedwig oer drwchus. O'r wybodaeth sydd yn y diagram eglurwch sut y mae'n gweddu i'w hamgylchedd.

1 marc

(c) Mae'n bosib y bydd yna wahaniaethau eraill hefyd rhwng Cwningen A a Chwningen C. Rhowch un enghraifft a fydd wedi'i dylanwadu gan eu gwahanol amgylchoedd. Eglurwch eich ateb.

2 farc

Nodwedd

Esboniad

(d) Rhyddhawyd nifer o gwningod math C yn y diffeithdir poeth agored. Ar ôl nifer o flynyddoedd o fridio, cymharwyd y cwningod â ffotograffau o'r rhai gwreiddiol. Beth fyddai'r gwahaniaeth rhyngddyn nhw?

1 marc

uchafswm 6 marc

Papur B Lefelau 5–7

1. Fe welwch isod luniau cregyn rhai anifeiliaid sy'n byw ar lan y môr.

Gwichiad moch   Cragen maharen   Cyllell fôr   Cocysen

(a) I ba grŵp y mae'r anifeiliaid yn perthyn, A, B, C neu D? Ticiwch y bocs cywir.

1 marc

anelidau	y corff wedi'i rannu gan gylchoedd yn gyfres o segmentau	A
molwsgiaid	corff meddal wedi'i amddiffyn gan gragen	B
ecinodermiaid	y croen yn wrychog a gwydn ac yn aml o siâp seren	C
arthropodau	â chroen caled a choesau cymalog	D

(b) Awgrymwch un ffordd, ar wahân i'r siâp, y gallai cregyn yr anifeiliaid yma gael eu rhannu'n ddau grŵp. Rhowch enghraifft o bob un o'r grwpiau.

4 marc

Mae gan anifeiliaid Grŵp **1** gregyn sy'n ______________________

Enghraifft o Grŵp **1** fyddai ______________________

Mae gan anifeiliaid Grŵp **2** gregyn sy'n ______________________

Enghraifft o Grŵp **2** fyddai ______________________

(c) Mae pysgod cregyn a geir yn agos at y man lle caiff carthion eu gollwng i'r môr yn aml yn fwy nag mewn mannau eraill. Eglurwch ai ffactorau etifeddol neu amgylcheddol sy'n gyfrifol am hyn.

1 marc

____

____

(d) Dydy amodau byw pysgod cregyn ddim yn effeithio ar siâp eu cregyn. Beth, felly, sy'n penderfynu ar siâp eu cregyn?

1 marc

____

uchafswm 7 marc

2. Ysgrifennodd Rebecca ddisgrifiad o'i hun wrth wneud cais am waith dros yr haf. Dyma'r disgrifiad ohoni ei hun.

Rydw i'n ferch	Rydw i'n 1.54m o ran fy nhaldra
Rydw i'n pwyso 43kg	Rydw i'n 17 oed
Mae gen i wallt brown	Mae gen i lygaid glas
Rydw i'n siarad Cymraeg	Mae gen i dyllau yn fy nghlustiau

(a) O'r rhestr uchod, dewiswch **ddwy** nodwedd y bydd wedi eu hetifeddu, h.y. rhai na fydd yr amgylchedd wedi effeithio arnyn nhw.

2 farc

1 ______________________________

2 ______________________________

(b) O'r rhestr uchod, dewiswch **ddwy** nodwedd y gallai fod wedi eu hetifeddu ond y gall ei hamgylchedd fod wedi effeithio arnyn nhw hefyd.

2 farc

1 ______________________________

2 ______________________________

(c) Eglurwch sut y bydd yr amgylchedd yn effeithio ar **un** o'r nodweddion a ddewiswyd yn (b).

1 marc

____

____

(d) Mae graff 'pwysau' llawer o ferched o'r un oed â Rebecca yn edrych fel yr un gyferbyn.

Pa **ddwy** nodwedd isod fyddai'n cynhyrchu graffiau tebyg? *2 farc*

Ticiwch **ddau** focs cywir.

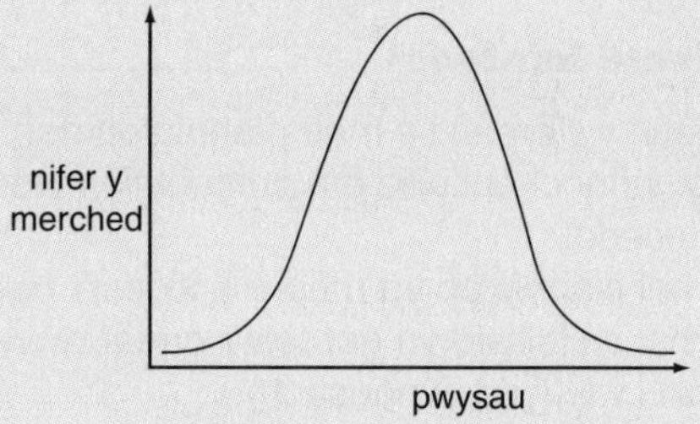

defnyddio llaw dde neu neu law chwith [A] hyd y mynegfys [B]

lliw y gwallt [C] y gallu i rolio'r tafod [D] taldra [E]

(e) Pe bai graff o bwysau nifer o fechgyn o'r un oed â Rebecca yn cael ei wneud, pa siâp fyddai iddo o'i gymharu â'r graff uchod?

1 marc

____

uchafswm 8 marc

Yr Amgylchedd

Mae pethau byw yn dibynnu ar eu hamgylchedd i oroesi. Mae'n rhaid iddyn nhw gystadlu am fwyd a lle ac ati i fyw. Os byddan nhw wedi ymaddasu'n dda bydd eu nifer yn cynyddu.

Gwybodaeth hanfodol

- Y cynefin yw'r man lle mae planhigion neu anifeiliaid yn byw.
- Mae gwahanol anifeiliaid a phlanhigion wedi ymaddasu i oroesi mewn gwahanol gynefinoedd.
- Mae rhai planhigion yn medru goroesi'r gaeaf fel hadau.
- Mae rhai anifeiliaid yn goroesi'r gaeaf drwy aeafgysgu (cysgu drwy'r gaeaf) neu drwy fudo (hedfan i wledydd cynhesach).
- Poblogaeth yw grŵp o anifeiliaid neu blanhigion sy'n byw yn yr un cynefin.
- Bydd rhai ffactorau yn cyfyngu ar dwf poblogaeth e.e. ysglyfaethwyr, clefydau a hinsawdd.
- Bydd pethau byw yn cystadlu am adnoddau sy'n brin e.e. bwyd a lle i fyw.
- Bydd pethau byw sy'n llwyddo yn y gystadleuaeth yn goroesi ac yn atgenhedlu.
- Mae ysglyfaethwyr wedi ymaddasu i ladd anifeiliaid eraill (eu hysglyfaeth) am fwyd.
- Mae cadwynau bwydydd yn dangos yr hyn y mae anifeiliaid yn ei fwyta a sut y caiff egni ei drosglwyddo o'r naill i'r llall.
- Mae llawer o gadwynau bwydydd mewn gwe fwydydd.
- Mae pyramid niferoedd yn dangos faint o unigolion sydd mewn cadwyn fwyd.
- Gall cemegau gwenwynig gryfhau wrth fynd ar hyd y cadwynau bwydydd.

cigysydd uchaf
cigysydd
llysysydd
cynhyrchydd

Geiriau Defnyddiol

addasiadau cynefin mudo

hadau gaeafgysgu poblogaeth

tiriogaeth ysglyfaeth ysglyfaethwyr

golau cystadlu bwyd cyfyngu

lle hinsawdd cynhyrchwyr

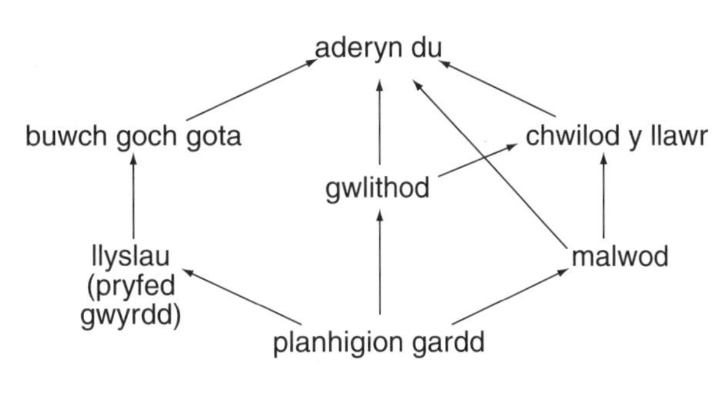

Prawf Cyflym

▶ Y man lle mae planhigyn neu anifail yn byw yw ei ___________[1].

Mae gan bethau byw ___________[2] arbennig i'w helpu i oroesi.

Mae llawer o blanhigion yn byw drwy'r gaeaf fel ___________[3]. Bydd rhai anifeiliaid yn ___________[4] (cysgu drwy'r gaeaf). Bydd rhai adar yn ___________[5] (hedfan i wledydd cynhesach).

▶ ___________[6] yw grŵp o unigolion sy'n byw yn yr un cynefin.

Bydd rhai ffactorau yn ___________[7] ar dwf poblogaeth e.e. ___________[8], clefydau neu ___________[9].

Ysglyfaethwyr yw anifeiliaid sy'n dal ac yn lladd eu ___________[10] am fwyd.

Mae pethau byw yn ___________[11] am adnoddau sy'n brin e.e. ___________[12] neu le i fyw.

Bydd llawer o adar fel y robin goch yn cystadlu am ___________[13].

Bydd chwyn yn cystadlu â phlanhigion eraill am ___________[14], dŵr a ___________[15].

Bydd chwyn llwyddiannus yn cynhyrchu llawer o ___________[16].

▶ Yn y we fwydydd uchod, y planhigion gardd yw'r ___________[17].

Dau ysglyfaethwr sy'n rhan o'r we fwydydd yw'r ___________[18] a'r ___________[19].

Petai llygrydd yn lladd pob buwch goch gota yna byddai'r llyslau yn *cynyddu/gostwng*[20] a byddai'r aderyn du yn *cynyddu/gostwng*[21].

Gorffennwch y gadwyn fwyd yma: ___________[22] → malwod → ___________[23] → ___________[24].

Petai plaleiddiad gwenwynig yn mynd i mewn i'r gadwyn fwyd yma, pa anifail fyddai'r cyntaf i farw? ___________[25]

▶ Tynnwch lun pyramid niferoedd ar gyfer y gadwyn fwyd yma:

Lefelau 3–6

1. Mae Chakeel yn byw wrth ymyl diffeithdir. Mae wedi bod yn astudio pethau sy'n byw yn y diffeithdir. O'r hyn a welodd, h.y. ei arsylwadau, aeth ati i dynnu llun gwe fwydydd syml.

hebogiaid
nadroedd　madfallod
llygod　pryfed
planhigion

Defnyddiwch y wybodaeth sydd yn y we fwydydd yn unig i ateb cwestiynau (a) a (b).

(a) (i) Ysgrifennwch enw'r **cynhyrchydd** yn y we fwydydd yma.

____

1 marc

(ii) Ysgrifennwch un gadwyn fwyd sydd yn y we fwydydd yma. Dylai'r gadwyn fwyd gynnwys **pedair** organeb.

1 marc

__________ → __________ → __________ → __________

(b) Mae clefyd yn lladd nifer o fadfallod yn sydyn iawn. Dydy'r clefyd ddim yn effeithio ar y nadroedd fodd bynnag. Gorffennwch y frawddeg isod i egluro beth fydd yn digwydd i niferoedd y nadroedd.

2 farc

Bydd nifer y nadroedd yn ______________________________

oherwydd ______________________________________

____

(c) Mae nadroedd a madfallod fwyaf actif ar yr adeg boethaf o'r dydd. Faint o'r gloch fyddech chi'n disgwyl gweld y rhan fwyaf o'r hebogiaid yn hela?

1 marc

Ticiwch y bocs cywir.

2 o'r gloch y nos　A

8 o'r gloch y bore　B

2 o'r gloch y prynhawn　C

8 o'r gloch y nos　D

uchafswm 5 marc

2. Mae'r diagram isod yn dangos rhan o dri blodyn. Bydd pryfed yn bwydo ar y neithdar ar waelod y blodyn. Maent yn sugno'r neithdar i fyny drwy'r proboscis.

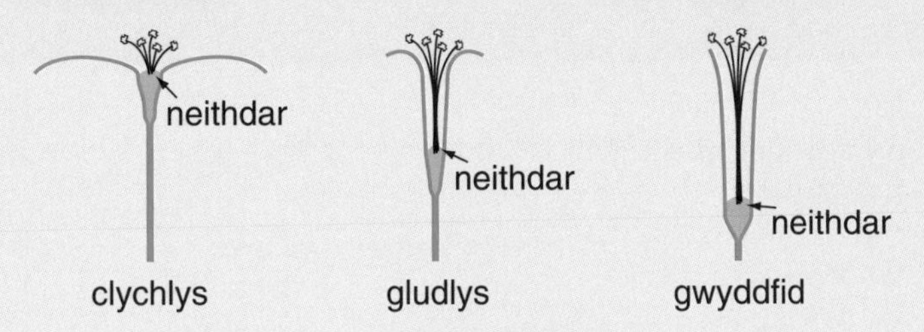

Mae'r lluniau isod yn dangos tri gwahanol bryf sy'n hedfan.

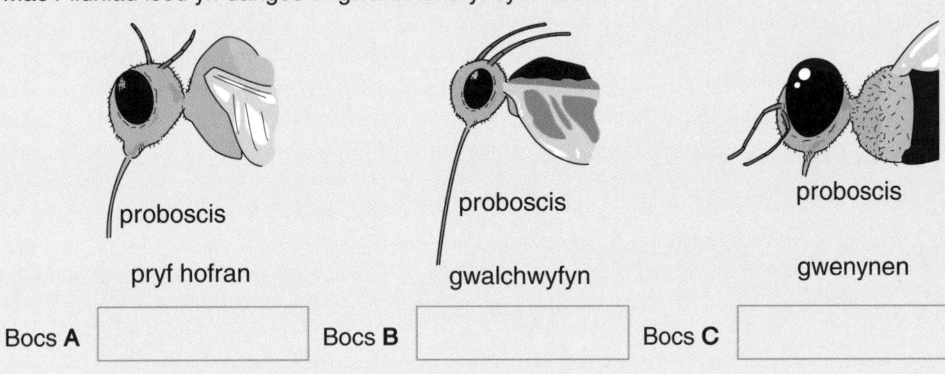

Bocs **A** ______ Bocs **B** ______ Bocs **C** ______

(a) Yn y bocs o dan bob pryf ysgrifennwch enw'r blodyn y mae wedi ymaddasu orau ar ei gyfer. *3 marc*

(b) (i) Pa bryf sy'n gallu sugno'r neithdar o bob blodyn? *1 marc*

____

(ii) Pa bryf sy'n gallu sugno neithdar o un blodyn yn unig? *1 marc*

____

(c) Mae pob un o'r pryfed hyn yn cael eu bwyd ac yn byw yn yr un amgylchedd. Eglurwch pam y gallant fyw ochr yn ochr â'i gilydd. *1 marc*

____

(d) Mae gan gacynen feirch broboscis byr. Pa un o'r pryfed uchod sydd fwyaf tebygol o gystadlu â'r gacynen? *1 marc*

____

uchafswm 7 marc

Papur B Lefelau 5–7

1. Mae'r diagram yn dangos rhan o we fwydydd mewn pwll dŵr.

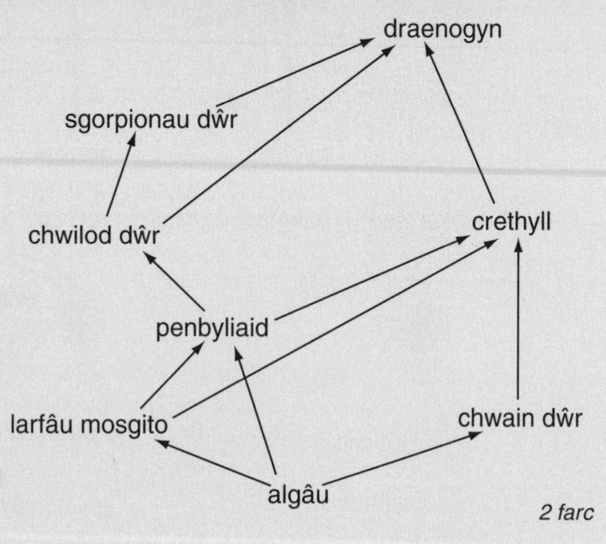

Defnyddiwch y wybodaeth sydd yn y diagram yn unig i ateb cwestiynau (a) a (b).

(a) Enwch **un** hollysydd ac **un** llysysydd

2 farc

hollysydd ______________________

llysysydd ______________________

(b) Mae nifer y penbyliaid yn y pwll dŵr yn gostwng.
Mae hyn yn effeithio ar nifer y chwain dŵr yn y pwll dŵr.

(i) Rhowch **un** rheswm pam y gallai nifer y chwain dŵr **gynyddu**.

1 marc

____

____

(ii) Rhowch **un** rheswm pam y gallai nifer y chwain dŵr **ostwng**.

1 marc

____

____

(iii) Pam y byddai gostyngiad yn nifer y penbyliaid yn effeithio ar y chwilod dŵr yn fwy na'r crethyll?

2 farc

____

____

uchafswm 6 marc

2. (a) Dyma bedair proses all newid poblogaeth yr adar mewn coedwig.

genedigaeth **marwolaeth** **mewnfudo** **allfudo**

Pa **ddau** o'r uchod fyddai'n achosi i boblogaeth yr adar yn y goedwig ostwng?

1 marc

____

(b) Mae'r tabl isod yn dangos gwybodaeth am rai adar sy'n byw mewn coedwigoedd.

adar	nifer yr wyau sy'n cael eu dodwy bob blwyddyn	canran yr adar mewn oed sy'n cael eu lladd bob blwyddyn
asgell fraith	10	57
robin	9	50
gwalch glas	5	33
ysguthan	6	42

(i) Beth yw'r patrwm rhwng nifer yr wyau sy'n cael eu dodwy bob blwyddyn a chanran yr adar mewn oed sy'n cael eu lladd?

1 marc

____

____

(ii) Bob blwyddyn bydd tua 70% o ditwod tomos glas mewn oed yn marw. Faint o wyau y mae'r titw tomos las yn debygol o'u dodwy mewn blwyddyn?

1 marc

____

(c) Mae'r titw tomos las yn bwyta'r pryfed sydd ar y cnydau mewn caeau o gwmpas coedwig. Mae'r gwalch glas yn bwyta'r titw tomos las.

cnydau → pryfed → titw tomos las → gwalch glas

Eglurwch sut y gall y titw tomos las a'r gwalch glas gael eu gwenwyno gan blaleiddiaid a gaiff eu chwistrellu ar y cnydau hyd yn oed os na fyddant yn bwyta'r cnydau.

1 marc

____

____

(d) Awgrymwch **un** rheswm pam y mae'r titw tomos las yn ei chael hi'n fwy anodd i fyw ar rostir agored yn hytrach nag mewn coetir.

1 marc

____

uchafswm 5 marc

Mater

Mae popeth o'n cwmpas yn solid, yn hylif neu'n nwy. Mae priodweddau gwahanol i'r tri chyflwr mater hyn. Bydd deall sut y caiff gronynnau'r mater eu trefnu yn eich helpu i ddeall y priodweddau hyn.

Mae gronynnau nwy yn taro yn erbyn waliau'r balŵn. Mae hyn yn achosi 'gwasgedd nwy'.

Gwybodaeth hanfodol

- 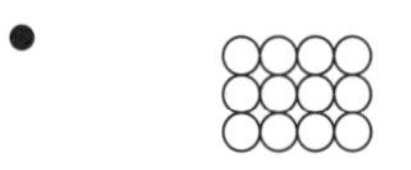  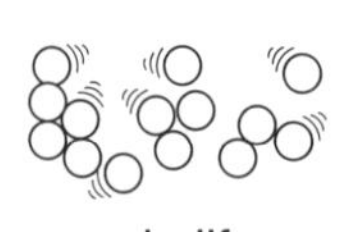  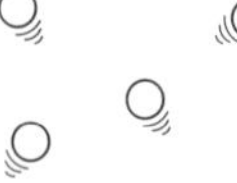

  gwresogi / oeri

  solid — Y gronynnau'n dirgrynu o gwmpas safle sefydlog

  hylif — Y gronynnau'n dirgrynu ac yn newid safle

  nwy — Y gronynnau'n symud yn rhydd i bob cyfeiriad

Priodweddau	Solid	Hylif	Nwy
Siâp sefydlog?	Oes	Na – siâp y cynhwysydd	Na – siâp y cynhwysydd
Cyfaint sefydlog?	Oes	Oes	Na – llenwi'r cynhwysydd
Hawdd ei gywasgu?	Anodd iawn	Gall gael ei gywasgu	Hawdd ei gywasgu
Llifo'n hawdd?	Nac ydy	Ydy	Ydy
Dwys (trwm am ei faint)?	Ydy	Llai dwys na solid	Llai dwys na hylif

- solid $\underset{\text{rhewi}}{\overset{\text{ymdoddi}}{\rightleftharpoons}}$ hylif $\underset{\text{cyddwyso}}{\overset{\text{berwi/anweddu}}{\rightleftharpoons}}$ nwy

Dwysedd

$$\text{dwysedd} = \frac{\text{más}}{\text{cyfaint}}$$

- Mae gan wahanol ddefnyddiau wahanol ymdoddbwyntiau, berwbwyntiau a dwyseddau.
- Mae'r rhan fwyaf o sylweddau yn ehangu (mynd yn fwy) wrth gael eu gwresogi. Mae'r rhan fwyaf o sylweddau yn cyfangu (mynd yn llai) wrth gael eu hoeri.
- Gall gronynnau symud a chymysgu eu hunain. Tryledu yw'r enw am hyn.
- hydoddyn (solid hydawdd) + hydoddydd (hylif) ⟶ hydoddiant
- Mae hydoddedd hydoddyn yn wahanol …

  … ar wahanol dymereddau a

  … mewn gwahanol hydoddyddion.
- Bydd hydoddiant yn ddirlawn pan na all mwy o'r solid hydoddi yn yr hydoddiant ar y tymheredd hwnnw.

Ehangu a chyfangu

Mae'r gronynnau yn aros yr un faint … y cyfan sy'n digwydd yw eu bod yn mynd ymhellach oddi wrth ei gilydd neu'n nes at ei gilydd

Geiriau Defnyddiol

hydoddydd hydoddyn hydawdd anhydawdd

nwyon hylifau solidau tryledìad

gronynnau mater cyfangu dirlawn

dirgrynu ymdoddbwynt rhewi cyddwyso

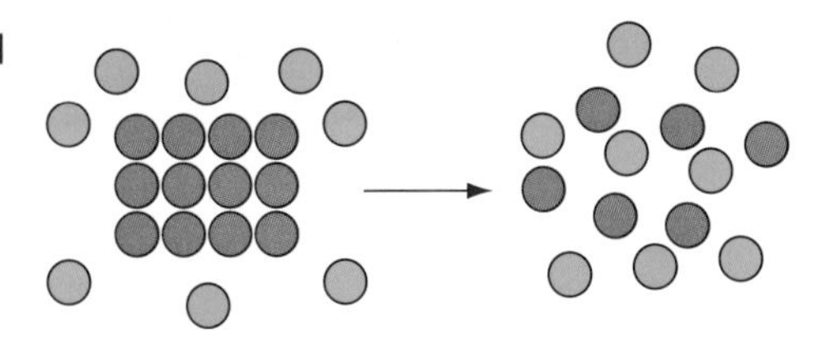

Prawf Cyflym

- Nwyon, __________[1] a __________[2] yw'r 3 chyflwr __________[3].
  Maen nhw wedi'u gwneud o ____________[4] bach.
- Pan fydd sylweddau'n cael eu gwresogi bydd y gronynnau yn ____________[5] mwy.
  Byddan nhw'n symud ymhellach oddi wrth ei gilydd. Bydd y sylwedd yn *ehangu/cyfangu*[6]. Y gwrthwyneb i ehangu yw ____________[7].
- Bydd gronynnau'n symud ac yn cymysgu ohonynt eu hunain. Yr enw am hyn yw ____________[8]. Dyma'r rheswm y mae arogleuon yn lledaenu. Mae ______________[9] yn tryledu yn gynt na'r 2 gyflwr mater arall.

- Bydd solid yn newid yn hylif pan fydd yn cyrraedd ei ______________[10]. Bydd hyn yn digwydd ar yr un tymheredd ag y bydd hylif yn ________________[11] i ffurfio solid.
  Gall hylif newid yn nwy pan gaiff ei wresogi.
  Bydd yr hylif yn *anweddu/cyddwyso*[12]. Y gwrthwyneb i anweddu yw ____________[13].

- Os yw sylwedd yn hydoddi, mae'n ______________[14]. Os nad yw'n hydoddi, mae'n ______________[15]. Os yw ___________[16] yn hydoddi mewn __________[17] mae'n ffurfio hydoddiant. Os na fydd mwy o'r solid yn gallu hydoddi ar y tymheredd yna, dywedwn ei fod yn ___________[18].
  Bydd mwy o halen yn hydoddi os bydd y dŵr yn fwy *poeth/oer*[19].

- Edrychwch ar y diagram o'r gronynnau uchod.

  ● dyma ronyn siwgr ○ dyma ronyn dŵr

  a) Beth sy'n digwydd i'r ciwb siwgr? ________________________________[20]

  b) Sut y gallech wneud i'r gronynnau symud yn gynt? ____________________[21]

Papur A Lefelau 3–6

1. Mae bicer o ddŵr ar dymheredd ystafell wedi'i adael mewn rhewgell. Mae'r graff yn dangos sut y mae'r tymheredd yn y bicer yn newid.

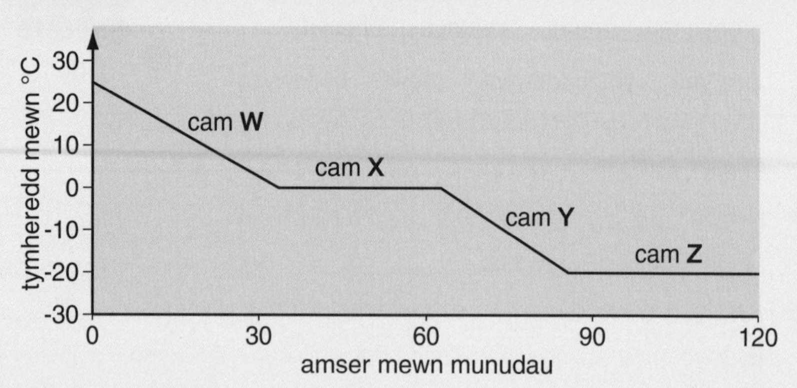

(a) Beth sy'n digwydd i'r dŵr yng ngham X?

1 marc

____

(b) Pam nad yw'r tymheredd yn disgyn yn is na -20°C (cam Z)?

1 marc

____

(c) Dyma bedwar disgrifiad o'r ffordd y bydd gronynnau yn symud.

A Maen nhw'n dirgrynu o gwmpas pwynt sefydlog

B Maen nhw'n symud heibio ei gilydd ac yn agos at ei gilydd

C Maen nhw'n symud mewn llinellau syth ac yn taro yn erbyn ei gilydd weithiau

D Maen nhw i gyd yn symud ar yr un cyflymdra i'r un cyfeiriad

(i) Pa ddatganiad sy'n disgrifio orau sut y bydd y gronynnau yn symud yng ngham **W**? ____________ *1 marc*

(ii) Pa ddatganiad sy'n disgrifio orau sut y bydd y gronynnau yn symud yng ngham **Y**? ____________ *1 marc*

(d) Pan fydd dŵr yn cael ei wresogi bydd yn berwi ac yn troi'n ager.
Eglurwch pam y bydd ychydig o ddŵr yn cynhyrchu llawer o ager.

1 marc

____

____

uchafswm 5 marc

2. (a) Cwblhewch y frawddeg ganlynol.

Pan fydd solid yn hydoddi mewn hydoddydd bydd ______________ yn cael ei ffurfio. *1 marc*

5.00 g o halen

dŵr

Mae bicer yn cynnwys 100.0 g o ddŵr. Mae'r bicer wedi'i roi ar glorian. Y darlleniad ar y glorian yw 165.0 g. Mae Tom yn ychwanegu 5.0 g o halen ato. Ar ôl ychydig, mae'r halen i gyd wedi hydoddi.

(b) Beth yw'r darlleniad ar y glorian ar ôl i'r halen hydoddi?

____ *1 marc*

(c) Sut y gallai'r halen gael ei hydoddi yn y dŵr yn gynt?

1 marc

____

(d) Sut y gallai Tom gael yr halen i gyd yn ôl o'r dŵr?

1 marc

____

____

(e) Mae Tom yn penderfynu mynd ati i arbrofi drwy ychwanegu halen at samplau 100 g o wahanol hydoddyddion hyd nes na fydd rhagor yn hydoddi.

Edrychwch ar y canlyniadau isod a dewiswch y canlyniad mwyaf tebygol i arbrawf Tom.

1 marc

Ticiwch y bocs cywir.

Bydd yr un faint o halen yn hydoddi mewn 100 g o unrhyw fath o hydoddydd. **A**

Bydd hydoddedd halen yn wahanol mewn gwahanol hydoddyddion. **B**

Dim ond mewn dŵr y bydd halen yn hydoddi – nid mewn hydoddyddion eraill. **C**

Gallwch chi ychwanegu faint fynnoch chi o halen at 100 g o hydoddydd. **D**

uchafswm 5 marc

Papur B Lefelau 5–7

1. (a) Ar ddechrau'r 19eg ganrif aeth y fferyllydd John Dalton ati i restru cyfres o symbolau i gynrychioli'r gwahanol elfennau. Roedd llai na 50 o elfennau yn hysbys ar yr adeg yma. Mae rhai o'r symbolau hyn wedi'u dangos isod:

carbon copr hydrogen haearn nitrogen ocsigen

Dyma'r symbolau ar gyfer atom copr (Cu) a moleciwl nitrogen (N_2):

atom copr moleciwl nitrogen

(i) Defnyddiwch symbolau Dalton i gynrychioli'r canlynol:

2 farc

Atom haearn (Fe) ____________ Moleciwl ocsigen (O_2) ____________

(ii) Pa nwy sy'n cael ei gynrychioli gan y symbolau canlynol?

1 marc

Y nwy yw ______________________________.

(iii) Defnyddiwch symbolau Dalton i gynrychioli dŵr (H_2O) ____________________

1 marc

(iv) Yn ddiweddarach, cafodd y llythrennau sydd gennym heddiw eu defnyddio yn lle symbolau Dalton. Awgrymwch ddau reswm pam.

2 farc

1 ____

2 ____

(b) Yn y tabl isod pa briodwedd sy'n nodweddiadol o anfetel?

1 marc

priodwedd	da	gwael
dargludydd trydan		
dargludydd gwres		

(c) Gall elfennau gael eu trefnu yn y **Tabl Cyfnodol**. Mae'r diagram yn dangos rhan o'r Tabl Cyfnodol. Pa ran o'r tabl sy'n cynnwys yr anfetelau?

1 marc

uchafswm 8 marc

2. Mae'r tabl isod yn dangos rhywfaint o wybodaeth am bedair elfen.

elfen	ymdodd-bwynt mewn °C	berw-bwynt mewn °C	dargludydd trydan da	dargludydd gwres da	elfen sy'n fetel	elfen sy'n anfetel
A	1085	2595	ydy	ydy		
B	−7	59	nac ydy	nac ydy		
C	−39	357	ydy	ydy		
D	115	184	nac ydy	nac ydy		

(a) (i) Penderfynwch a ydy pob un o'r elfennau yn fetel neu'n anfetel. *1 marc*

(ii) Rhowch **un briodwedd arall** y byddech yn disgwyl ei gweld yn perthyn i elfen A heblaw am y rhai sydd yn y tabl.

1 marc

____

(b) Beth yw cyflwr ffisegol pob elfen ar dymheredd ystafell, sef 20°C – solid, hylif neu nwy?

Mae elfen A yn ____________________

Mae elfen B yn ____________________

Mae elfen C yn ____________________

Mae elfen D yn ____________________

1 marc

(c) Mae priodweddau metelau yn debyg ond dydyn nhw ddim yn unfath. Dyma restr o fetelau.

copr haearn plwm mercwri tun sinc

Rhowch un briodwedd:

(i) haearn nad yw'n perthyn i fetelau eraill yn y rhestr; *1 marc*

____

(ii) mercwri nad yw'n perthyn i fetelau eraill yn y rhestr. *1 marc*

____

uchafswm 5 marc

10 Cyfansoddion a chymysgeddau

Mae dŵr yn gyfansoddyn sy'n ein cadw'n fyw. Mae wedi ei wneud o hydrogen ac ocsigen … ond mae'n hollol wahanol i'r naill elfen a'r llall.

Gwybodaeth hanfodol

- Dim ond un math o atom sydd ym mhob elfen.
  Mae 2 neu ragor o wahanol atomau wedi'u huno â'i gilydd mewn cyfansoddion.
- Pan fydd atomau yn uno â'i gilydd byddant yn ffurfio moleciwlau.

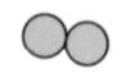

moleciwlau'r elfen nitrogen, N_2

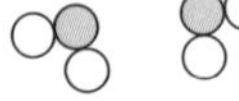

moleciwlau'r cyfansoddyn dŵr, H_20

- Bydd elfennau'n cyfuno i ffurfio cyfansoddion. Mae hyn yn digwydd yn ystod adwaith cemegol. Gallwn ddangos adwaith cemegol ar ffurf hafaliad geiriau.
  e.e. magnesiwm + ocsigen → magnesiwm ocsid
- Mae cyfansoddiad cyfansoddyn yn sefydlog. Mae gan bob cyfansoddyn ei fformiwla ei hun e.e. magnesiwm ocsid yw MgO bob amser.
- Mae cymysgedd yn cynnwys mwy nag un sylwedd.
  Nid yw ei gyfansoddiad yn sefydlog.
  Nid yw gwahanol rannau'r cymysgedd wedi cyfuno.
  e.e. mae aer yn gymysgedd o nitrogen, ocsigen, carbon deuocsid a sylweddau eraill.
- Fel arfer, gallwn wahanu cymysgedd yn sylweddau pur drwy:
  – hidlo (gwahanu solid anhydawdd o hylif)
  – distyllu (gwahanu hylifau pur o hydoddiant)
  – cromatograffaeth (gwahanu cymysgedd o wahanol liwiau)

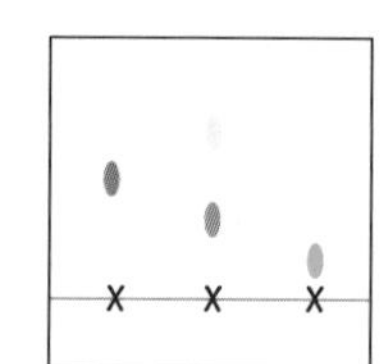

Geiriau Defnyddiol

pur cymysgedd

atomau moleciwl adwaith

cyfansoddiad hydoddi

anweddu hidlo cromatograffaeth

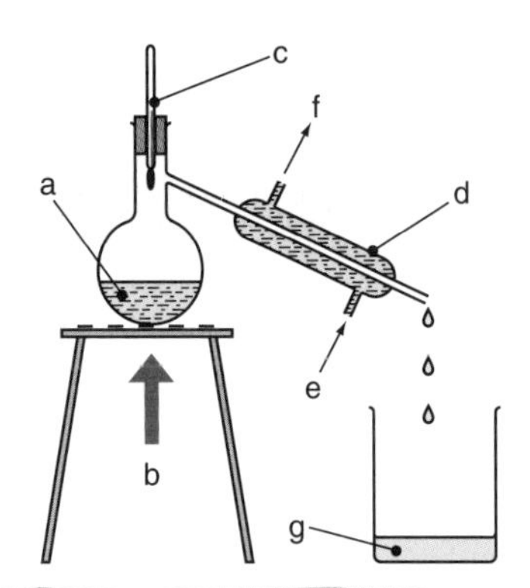

Prawf Cyflym

- Bydd cyfansoddyn yn cael ei ffurfio yn ystod ________[1] cemegol.

  Mae ______________[2] sefydlog i gyfansoddyn. Mae'r fformiwla ar ei gyfer *yr un fath/yn wahanol*[3] bob amser.

- Defnyddiwn y fformiwla CO_2 ar gyfer ___________[4] o garbon deuocsid.

  Mae 1 atom carbon yn cyfuno â 2 ____________[5] ocsigen.

- Mae sylwedd __________[6] yn cynnwys un elfen neu un cyfansoddyn yn unig.

  Mae _____________[7] yn cynnwys mwy nag un sylwedd. Mae'r sylweddau yn *hawdd/anodd*[8] eu gwahanu.

- Er mwyn gwahanu gwahanol liwiau o inc byddwn yn defnyddio ________[9].

  Er mwyn gwahanu halen a thywod byddwn yn:

  1. ychwanegu dŵr cynnes i __________[10]'r halen,
  2. __________[11]'r cymysgedd er mwyn casglu'r tywod,
  3. gwresogi'r hidlif er mwyn ___________[12]'r dŵr o'r hydoddiant halen.

- Gall distyllu (edrychwch ar y diagram uchod) gael ei ddefnyddio i gael dŵr pur o ddŵr môr (hydoddiant halen). Gorffennwch roi labeli ar y diagram.

  a. __________________[13] b. ______________________________[14]

  c. __________________________[15] d. __________________[16] e. _________________[17]

  f. ___________________[18] g. _____________________[19]

- Ysgrifennwch E, C neu M i ddangos pa rai o'r canlynol sy'n **e**lfennau, **c**yfansoddion neu'n gy**m**ysgedd.

  dŵr lleidiog ____[20] aur ____[21] olew crai ____[22] hydrogen ____[23] copr ocsid ____[24]

  dŵr ____[25]

Papur A Lefelau 3–6

1. Mae'r diagramau canlynol yn dangos dau ddull gwahanol o wahanu.

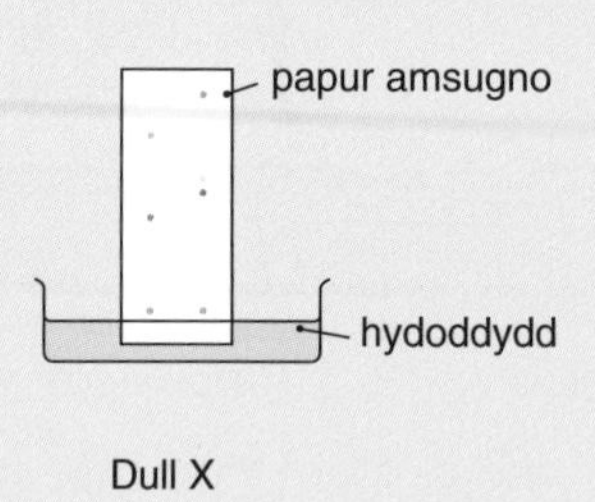

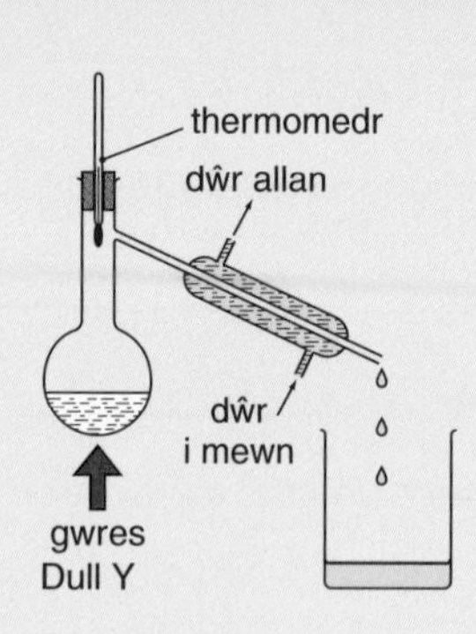

(a) Rhowch yr enw cywir am y ddau ddull uchod.

2 farc

Yr enw am ddull X yw ______________________ .

Yr enw am ddull Y yw ______________________ .

(b) Dyma bedwar cymysgedd. Gallwch ddefnyddio dull X i wahanu un cymysgedd a dull Y i wahanu un cymysgedd arall.
Ysgrifennwch X neu Y yn y bocs cywir.

2 farc

Bocs **A** ☐ tywod a naddion haearn

Bocs **B** ☐ ethanol a dŵr

Bocs **C** ☐ lliwiau inc

Bocs **D** ☐ hydoddiant halen a thywod

Mae'r diagram isod yn dangos gwahanol gamau cael copr (II) sylffad pur o fwyn copr.

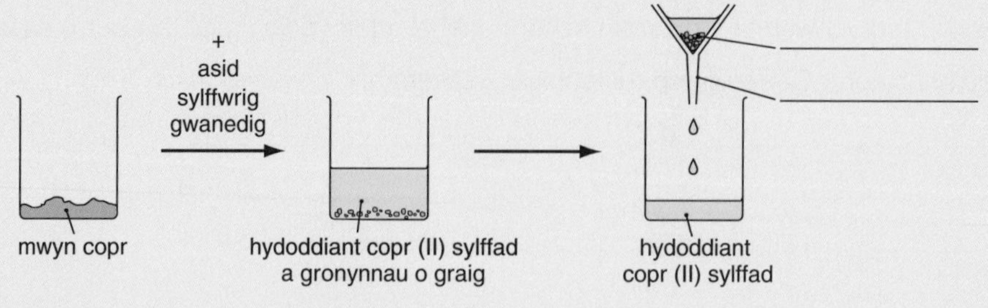

(c) Cwblhewch y ddau label ar y diagram.

2 farc

(d) Sut mae cael grisialau copr (II) sylffad o'r hydoddiant?

1 marc

____

uchafswm 7 marc

2. Dyma restr o nwyon cyffredin. (Mae fformiwla pob nwy hefyd wedi'i roi i'ch helpu.)

clorin (Cl_2)	hydrogen clorid (HCl)
methan (CH_4)	heliwm (He)
ocsigen (O_2)	sylffwr deuocsid (SO_2)

(a) Rhowch bob nwy o'r rhestr yn y golofn gywir yn y tabl isod.
Gallwch ysgrifennu'r enw neu'r fformiwla.

2 farc

elfen	cyfansoddyn

(b) Pan fydd carbon yn cael ei losgi yn yr aer bydd yn adweithio ag ocsigen i ffurfio nwy carbon deuocsid. Ysgrifennwch hafaliad geiriau i ddangos yr adwaith yma.

1 marc

____

(c) Mae'r bocsys yn dangos ychydig ddiagramau o ronynnau. Tynnwch linell i gysylltu'r moleciwlau ocsigen a charbon deuocsid â'u diagramau cywir. Mae heliwm wedi'i wneud yn barod.

2 farc

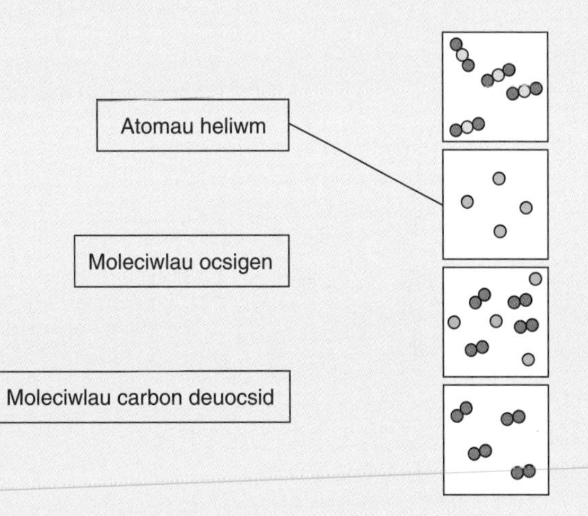

(d) Mae llawer o nwyon gwahanol mewn aer gan gynnwys nitrogen, ocsigen a charbon deuocsid. Eglurwch pam mai **cymysgedd** ydyw felly ac nid cyfansoddyn.

1 marc

____

____

(e) Pan fydd aer yn oeri bydd yn troi'n hylif. Mae gan y nwyon mewn aer wahanol ferwbwyntiau. Enwch broses allai gael ei defnyddio i wahanu'r nwyon yn yr hylif.

1 marc

____

uchafswm 7 marc

Papur B Lefelau 5 – 7

1. Mae disgybl wedi defnyddio peniau marcio i ysgrifennu ar wal yr ystafell ddosbarth. Mae Mr Dafis wedi dod o hyd i ddau ddisgybl sy'n berchen ar beniau marcio. Mae'n mynd ati i ddefnyddio cromatograffaeth i ddarganfod peniau pa ddisgybl yn union gafodd eu defnyddio. Mae'n casglu sampl o'r tri inc lliw drwy sychu'r ysgrifen oddi ar wal yr ystafell ddosbarth â gwlan cotwm wedi'i drochi mewn gwahanol hydoddyddion. Mae ei arsylwadau i'w gweld yn y tabl.

hydoddydd	inc coch	inc gwyrdd	inc glas
dŵr	dim effaith	dim effaith	dim effaith
ethanol	ychydig o olion ar ôl	codwyd yr inc i gyd	ychydig o olion ar ôl
hecsan	codwyd yr inc i gyd	codwyd yr inc i gyd	codwyd yr inc i gyd

(a) Eglurwch pa hydoddydd fyddai fwyaf addas i gynnal yr ymchwiliad ar yr inc.

1 marc

____

(b) Defnyddiodd Mr Dafis y cyfarpar hwn i wahanu'r llifynnau yn yr inc. Pam y cafodd pensil yn hytrach nag inc ei ddefnyddio i dynnu'r llinell waelod? *1 marc*

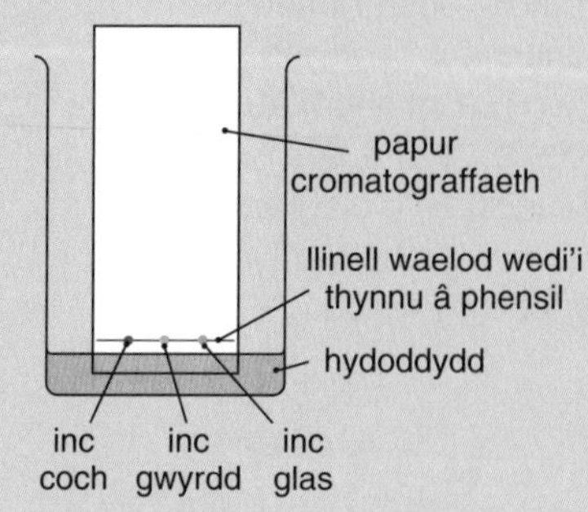

____

____

(c) Dyma ganlyniadau ymchwiliad Mr Dafis.

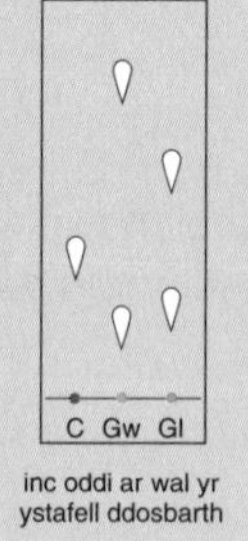

inc oddi ar wal yr ystafell ddosbarth

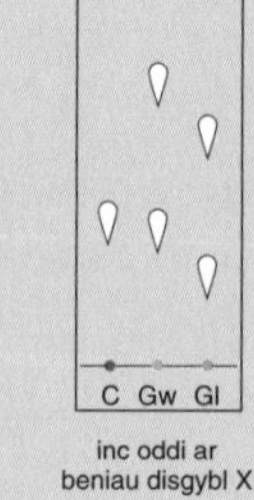

inc oddi ar beniau disgybl X

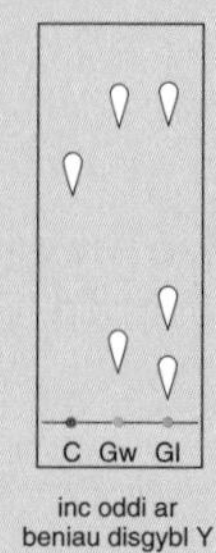

inc oddi ar beniau disgybl Y

(i) Pa liw inc oedd yn cynnwys un llifyn yn unig? *1 marc*

____

(ii) Eglurwch sut yr oedd Mr Dafis yn gallu dweud pa beniau gafodd eu defnyddio i ysgrifennu ar waliau'r ystafell ddosbarth.

2 farc

____

____

uchafswm 5 marc

2. (a) Mae nwy naturiol yn cynnwys cymysgedd o fethan (CH_4) yn bennaf ynghyd ag ychydig o nwyon eraill. Pam y mae nwy naturiol yn cael ei ddisgrifio fel cymysgedd yn hytrach na chyfansoddyn?

1 marc

____

____

(b) Pan fydd methan yn llosgi bydd yn adweithio ag ocsigen (O_2) yn yr aer i ffurfio carbon deuocsid a dŵr.
Gorffennwch y tabl isod drwy roi tic mewn un bocs i ddangos a ydy'r sylwedd yn elfen neu'n gyfansoddyn ac yna nifer yr atomau sydd mewn un moleciwl o'r sylwedd.
Mae'r rhes gyntaf wedi'i gwneud yn barod.

3 marc

sylwedd	elfen	cyfansoddyn	nifer yr atomau mewn un moleciwl
carbon deuocsid		✔	3
methan			
ocsigen			
dŵr			

(c) Mae'r diagram ar y chwith yn cynrychioli cymysgedd o fethan ac ocsigen.
Ar y dde, gwnewch ddiagram tebyg i gynrychioli cymysgedd o garbon deuocsid a dŵr.

1 marc

cymysgedd o fethan ac ocsigen

cymysgedd o garbon deuocsid a dŵr

(d) Disgrifiwch brawf cemegol y gallech ei wneud i ddangos bod gan gymysgedd o garbon deuocsid a dŵr briodweddau gwahanol o'u cymharu â chymysgedd o fethan ac ocsigen.

1 marc

____

____

____

uchafswm 6 marc

Adweithiau cemegol

Mae bron yr holl ddefnyddiau o'n cwmpas wedi'u gwneud o ganlyniad i adweithiau cemegol. Mae rhai adweithiau cemegol yn bwysig iawn... dyna sy'n eich cadw'n fyw!

Gwybodaeth hanfodol

- Bydd gwyddonwyr fel arfer yn sôn am 2 fath o newidiadau – newidiadau cemegol a newidiadau ffisegol.
- Pan fydd newid cemegol yn digwydd bydd un neu ragor o sylweddau newydd yn cael eu creu. Does dim newid yng nghyfanswm y màs ar ôl i'r adwaith ddigwydd, fodd bynnag, o'i gymharu â chyn iddo ddigwydd. Yr un atomau sydd yno ond eu bod wedi'u cyfuno mewn gwahanol ffyrdd. Fel arfer, mae'n anodd iawn cildroi newidiadau cemegol.
- Pan fydd newid ffisegol yn digwydd fydd sylweddau newydd ddim yn cael eu creu. Ni fydd unrhyw newid yn eu màs chwaith. Fel arfer, mae'n hawdd cildroi newidiadau ffisegol.
- Bydd hafaliadau geiriau yn dangos i ni yr adweithyddion a'r cynnyrch sydd mewn adwaith.
  e.e. magnesiwm + ocsigen → magnesiwm ocsid
  (adweithyddion) (cynnyrch)
  haearn + clorin → haearn clorid
  haearn + sylffwr → haearn sylffid
- Mae gwahanol ***fathau*** o adweithiau'n bod.
  e.e. pan fydd ocsigen yn cael ei ychwanegu at rywbeth, caiff y broses ei galw'n **ocsidio** neu **ocsidiad**.
- Mae rhai adweithiau yn ddefnyddiol iawn i ni.
  e.e. – caledu *superglue*.
  – llosgi tanwydd i'n cadw'n gynnes.
- Dydy rhai adweithiau ddim mor ddefnyddiol i ni.
  e.e. – haearn yn rhydu pan fydd yn adweithio ag aer a dŵr.
  – tanwydd ffosil yn creu glaw asid pan fyddant yn llosgi.
- Mae adweithiau sy'n dwyn egni o'r amgylchedd yn endothermig.
  Mae adweithiau sy'n rhyddhau egni yn ecsothermig.

Geiriau Defnyddiol

cemegol adweithyddion cynnyrch

màs ffisegol tymheredd

hylosgi dadelfeniad thermol

niwtraliad rhydwytho

eplesu

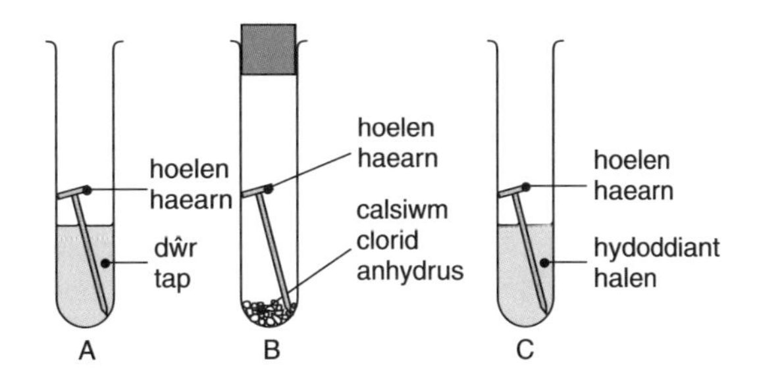

Prawf Cyflym

- Bydd iâ yn ymdoddi i ffurfio dŵr. Dyma newid ____________[1]. Mae ei droi yn ôl yn iâ unwaith eto yn *hawdd/anodd*[2].

  Mae pobi cacen yn newid ______________[3]. Mae ei throi yn ôl i gael y cynhwysion gwreiddiol unwaith eto yn *hawdd/anodd*[4].

  Mewn newidiadau ffisegol a chemegol mae'r ____________[5] yn aros yr un fath.

- Mae copr yn adweithio ag ocsigen i ffurfio copr ocsid.

  Y copr a'r ocsigen yw'r ______________[6]. Copr ocsid yw'r ____________[7].

- Mae llosgi tanwydd yn adwaith *ecsothermig/endothermig*[8]. Mae'n rhoi egni i ni.

  Bydd ______________[9] yr amgylchedd yn codi o ganlyniad i hyn.

- Mae asid yn adweithio â'r bas yn cael ei alw'n ______________________________[10].

  Mae tanwydd yn llosgi yn yr aer yn cael ei alw'n _____________________[11].

  Mae tynnu'r ocisgen oddi yno yn cael ei alw'n __________________[12].

  Mae gwresogi sylwedd i'w dorri i lawr yn cael ei alw'n ______________________________[13].

  Mae troi siwgr yn alcohol yn cael ei alw'n _________________________[14].

- Gorffennwch yr hafaliadau geiriau yma:

  calsiwm + ocsigen → ___________________________[15]

  magnesiwm + _________________[16] → magnesiwm clorid

  haearn + sylffwr → ___________________________[17]

- Edrychwch ar y twibiau profi yn y diagram. Ar ôl 5 niwrnod pa diwb fyddai â:

  dim rhwd ____[18]; ychydig o rwd ____[19]; llawer o rwd ____[20]

Papur A Lefelau 3–6

1. (a) Mae'r diagramau yn cynrychioli rhai adweithiau cemegol. Tynnwch linell rhwng pob diagram a'r gair sy'n disgrifio orau yr adwaith cemegol sydd ar waith. *4 marc*

Electrolysis	Niwtraliad	Rhydu	Hylosgi

A

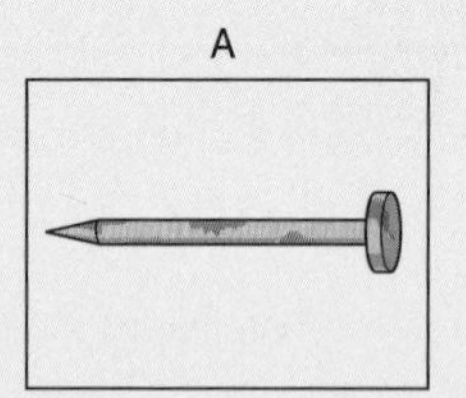

B

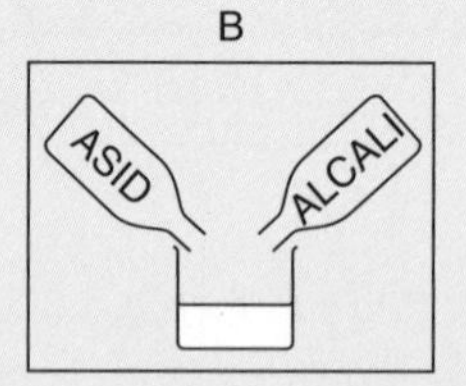

C

D

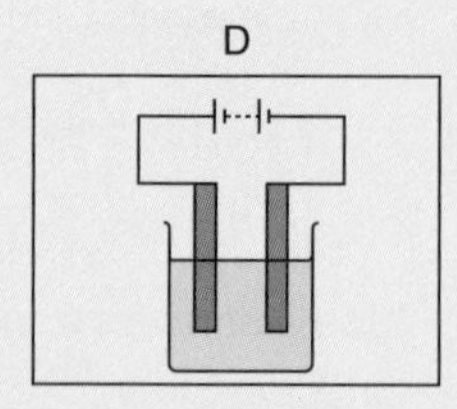

(b) Mae pedair hoelen haearn lân yn cael eu rhoi mewn tiwbiau wedi'u selio a'u gadael am wythnos. Mae cynnwys y tiwbiau i gyd yn wahanol.

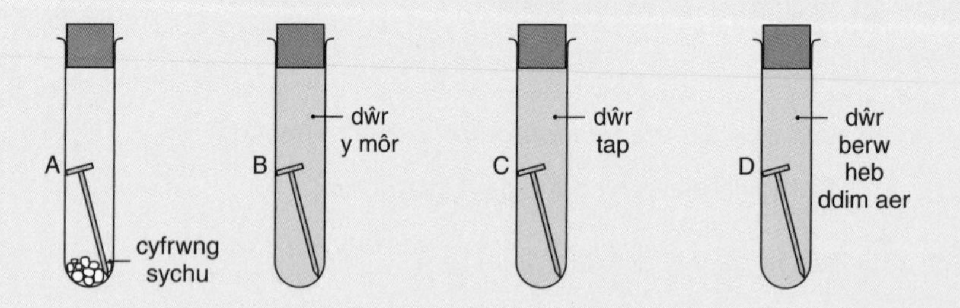

(i) Fydd yr hoelion sydd mewn **dau** diwb **ddim** yn rhydu. Pa ddau? ______ a ______

1 marc

(ii) Ym mha diwb oedd yr hoelen oedd wedi rhydu fwyaf? ________ *1 marc*

(c) 11.20 g oedd màs hoelen haearn lân. Gadawyd iddi rydu am wythnos. Cafodd 0.05 g o ocsigen ei ddefnyddio yn ystod yr adwaith.

Beth oedd màs yr hoelen rydlyd? ________

1 marc

(d) Gall gwrthrychau haearn rydu'n hawdd, hyd yn oed pan fyddwn yn eu cadw dan do. Nodwch ddwy ffordd y gallwn rwystro gwrthrych haearn rhag rhydu.

2 farc

1 ____

2 ____

uchafswm 9 marc

2. (a) O'r geiriau welwch chi isod, pa **un** sy'n disgrifio orau adwaith hylosgi?

1 marc

cyrydu	A	niwtraliad	C
dadelfennu	B	ocsidio	D

Edrychwch ar y siartiau cylch yma. Maen nhw'n dangos meintiau cymharol y pedwar llygrydd sy'n cael eu rhyddhau fel nwyon o orsafoedd pŵer a cheir a cherbydau.

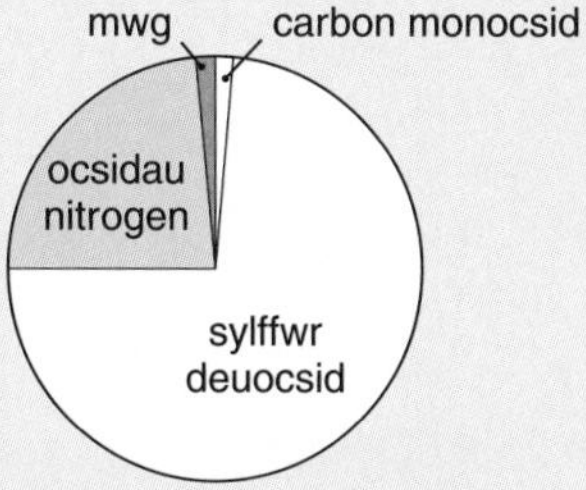

mwg
carbon monocsid
ocsidau nitrogen
sylffwr deuocsid

Gorsaf bŵer

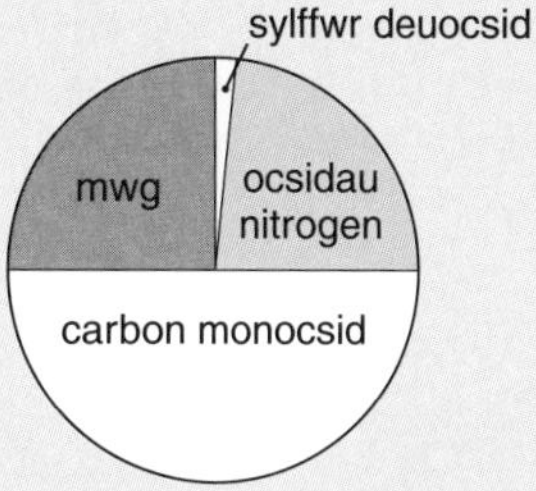

sylffwr deuocsid
mwg
ocsidau nitrogen
carbon monocsid

Ceir a cherbydau

(b) O'r llygryddion yma, pa **ddau** sy'n achosi glaw asid?

2 farc

1 ______________________________

2 ______________________________

(c) Nodwch **ddau** beth sy'n wahanol rhwng cymysgedd nwyon o orsafoedd pŵer a chymysgedd nwyon o geir a cherbydau.

2 farc

1 ______________________________

2 ______________________________

(d) Dydy dau gynnyrch hylosgiad cyflawn petrol ddim wedi'u rhoi yn y siart. Gorffennwch yr hafaliad geiriau canlynol ar gyfer hylosgiad cyflawn petrol.

1 marc

petrol + ocsigen → ______________ ______________ + dŵr

(e) Mae glaw asid yn niweidio'r amgylchedd. Disgrifiwch un effaith niweidiol arall a gaiff llygryddion a fydd yn cael eu gollwng o orsafoedd pŵer, ceir a cherbydau ar yr amgylchedd.

1 marc

____

uchafswm 7 marc

Papur B Lefelau 5–7

1. (a) Mae'r diagram yn dangos enwau rhai deunyddiau crai a'r cynnyrch sydd wedi'u gwneud ohonynt. Tynnwch linell rhwng pob deunydd crai a'r cynnyrch cywir. Mae'r un cyntaf wedi'i wneud yn barod.

3 marc

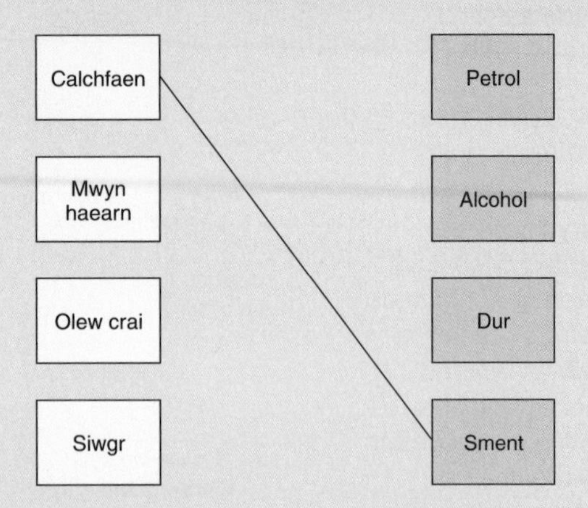

(b) Calsiwm carbonad ($CaCO_3$) yw calchfaen yn bennaf.
Pan fyddwn yn ei wresogi'n dda bydd yr adwaith canlynol yn digwydd.

calsiwm carbonad ⟶ calsiwm ocsid + carbon deuocsid.

Pa fath o adwaith cemegol sy'n digwydd? ______________________ *1 marc*

(c) Mae calsiwm ocsid yn cael ei wasgaru ar gaeau weithiau. Mae'n cynyddu pH y pridd.
Pa fath o sylwedd yw calsiwm ocsid?

2 farc

______________________ yw calsiwm ocsid.

Pa fath o adwaith sy'n digwydd yn y pridd?

Bydd adwaith ______________________ yn digwydd yn y pridd.

(d) Mae injan ceir yn rhyddhau nwyon sy'n llygru i'r atmosffer.
Eglurwch pam y mae adeiladau calchfaen mewn dinasoedd yn aml yn dangos arwyddion difrod.

2 farc

____

____

____

uchafswm 8 marc

2. Yn 1774 gwnaeth Joseph Priestley arbrofion gyda mercwri ocsid coch a darganfod ocsigen.

Pan gafodd y mercwri ocsid coch solet ei wresogi sylwodd ei fod wedi troi'n hylif gloyw llwyd. Gwyddai Priestley mai mercwri oedd yr hylif. Roedd hefyd yn rhyddhau nwy.

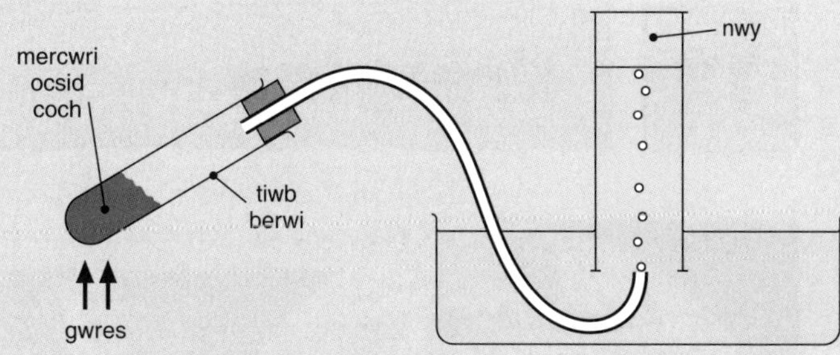

(a) (i) Rhowch ddau ddarn o dystiolaeth a arweiniodd Priestley i feddwl bod adwaith cemegol wedi digwydd.

2 farc

1 ______________________________

2 ______________________________

(ii) Pa dystiolaeth arall y byddech chi'n disgwyl ei gweld pe baech yn pwyso'r tiwb berwi cyn ei wresogi ac eto ar ôl ei wresogi.

1 marc

____

(b) Ysgrifennwch hafaliad geiriau am yr adwaith yma.

1 marc

____

(c) Enwch y math o adwaith fydd yn digwydd wrth ffurfio mercwri.

1 marc

Adwaith ____________________ fydd yn digwydd.

(d) Ceisiodd Priestley roi'r nwy newydd yma dros gannwyll yn llosgi.

(i) Cwblhewch y brawddegau canlynol.

2 farc

Mae cŵyr cannwyll yn ymdoddi yn enghraifft o newid ____________________.

Mae cŵyr cannwyll yn llosgi yn enghraifft o newid ____________________.

(ii) Pa fath o adwaith fydd yn digwydd wrth i danwydd hylosgi?

1 marc

____

(iii) Sylwodd Priestley fod y gannwyll yn llosgi yn fwy disglair mewn ocsigen nag mewn aer. Eglurwch pam.

1 marc

____

uchafswm 9 marc

12 Creigiau

Mae ein Daear wedi ei gwneud o greigiau. Gall astudio creigiau ddweud llawer wrthom ni am hanes y Ddaear.

Gwybodaeth hanfodol

- Cymysgedd yw'r rhan fwyaf o greigiau. Maen nhw'n cynnwys nifer o wahanol fwynau.
- Mae creigiau i gyd yn chwalu yn y pen draw. Bydd effaith y tywydd arnyn nhw yn eu gwanhau. Yr enw am y broses yma yw hindreulio. Gall dŵr, gwynt a newidiadau yn y tymheredd achosi hindreuliad. Bydd creigiau yn ehangu wrth iddyn nhw fynd yn boethach a byddant yn cyfangu pan fyddan nhw'n oeri.
- Bydd y darnau bychan o graig yn rhwbio yn erbyn ei gilydd wrth iddyn nhw gael eu symud, e.e. gan y gwynt a'r afonydd. Byddant yn cael eu treulio. Yr enw am y broses yma yw erydu. Ar ôl i hyn ddigwydd gall y darnau o graig gael eu cludo a'u dyddodi mewn lle arall.
- Mae tri math gwahanol o graig – igneaidd, gwaddod a metamorffig. Mae'r tri math yn cael eu ffurfio mewn ffordd wahanol.
- Bydd creigiau igneaidd yn cael eu ffurfio pan fydd sylweddau tawdd (wedi'u hymdoddi) yn oeri. Mae'r graig yn galed ac wedi'i ffurfio o risialau. Bydd grisialau mwy o faint yn ffurfio pan fyddant yn oeri yn araf. Mae gwenithfaen yn graig igneaidd.
- Mae creigiau gwaddod yn cael eu ffurfio mewn haenau. Cânt eu ffurfio pan fydd sylweddau yn setlo allan mewn dŵr. Pan fydd y tywydd yn boeth, gall y dŵr mewn moroedd a llynnoedd sychu. Gall hyn arwain at greu gwaddod. Weithiau, bydd ffosiliau yn y creigiau hyn. Mae'r creigiau fel arfer yn feddal. Mae tywodfaen yn graig waddod.
- Mae creigiau metamorffig yn cael eu ffurfio pan fydd y creigiau yn cael eu gwresogi a/neu eu gwasgu at ei gilydd. Mae'n broses araf iawn ac mae'r creigiau fel arfer yn galed iawn. Mae marmor yn graig fetamorffig.
- Dros gyfnod o filiynau o flynyddoedd, gall un math o graig newid yn fath arall. Mae'r creigiau yn cael eu hailgylchu. Dyma'r gylchred greigiau. (Gweler y diagram ar dop tudalen 73.)

Geiriau Defnyddiol

cyfangu   ehangu

igneaidd   gwaddod

metamorffig

hindreulio

rhewi   glaw asid

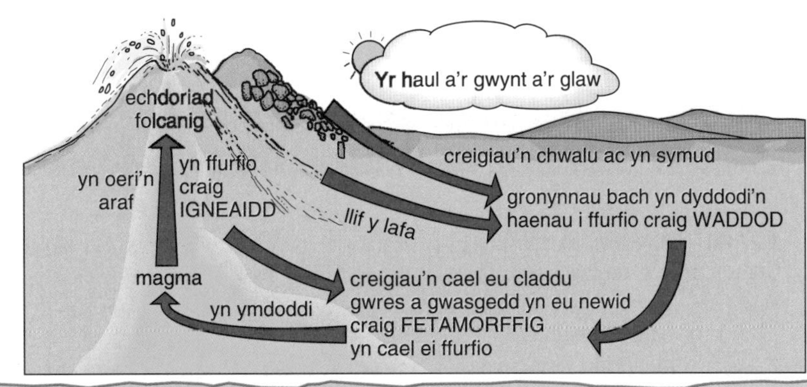

Prawf Cyflym

- Bydd creigiau yn ____________[1] wrth iddynt fynd yn boethach. Byddant yn ____________[2] wrth iddynt oeri.
  Gall ehangu a chyfangu ddryllio craig.
  Yr enw am hyn yw ________________[3]. Gall creigiau chwalu hefyd pan fydd dŵr yn __________[4] yn y craciau. Bydd rhai creigiau yn cael eu malu gan hindreuliad cemegol e.e. mae calchfaen yn adweithio gyda ____________[5].
- Mae basalt yn graig ______________[6]. Mae'n cynnwys grisialau *bach/mawr*[7] oherwydd caiff ei ffurfio o lafa a fydd yn oeri'n gyflym ar wyneb y Ddaear. Mae grisialau *llai/mwy o faint*[8] mewn gwenithfaen. Mae'n cael ei ffurfio o ganlyniad i fagma yn oeri'n araf.
- Mae sialc yn cael ei ffurfio o haenau o bysgod cregyn bychan yn cael eu cywasgu at ei gilydd. Mae'n graig ______________[9].
- Gall sialc gael ei newid yn farmor gan wres a gwasgedd. Mae marmor yn graig ______________[10].

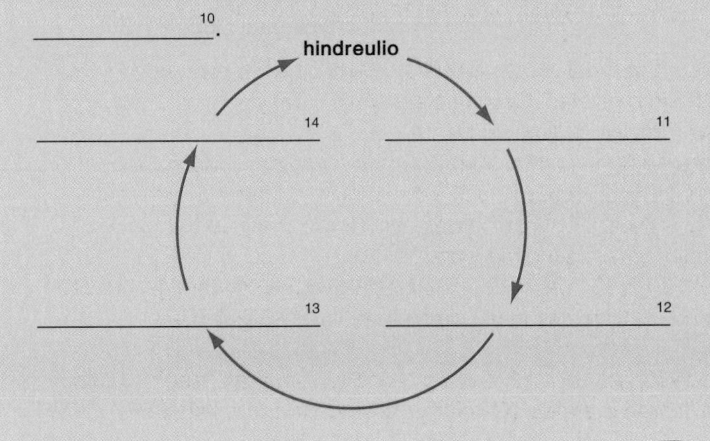

Rhowch y labeli isod yn y drefn gywir ar gyfer y gylchred.

- creigiau'n cael eu cludo
- creigiau newydd yn cael eu ffurfio
- erydiad
- creigiau'n cael eu dyddodi

Papur A Lefelau 3–6

1. Mae'r diagram yn dangos cylchred greigiau syml.

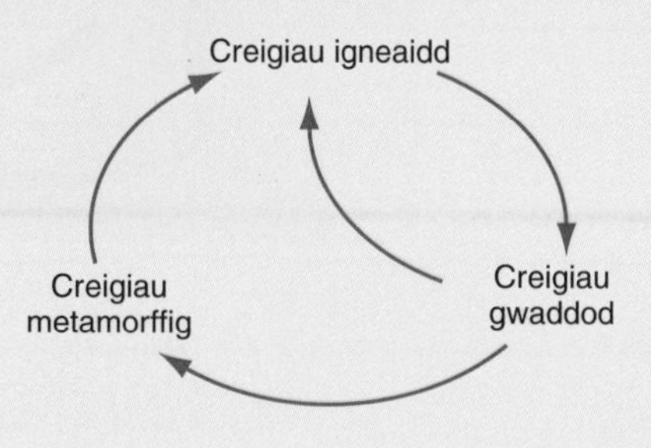

(a) (i) Gall creigiau gwaddod newid yn greigiau metamorffig. Rhowch **ddau** reswm all achosi'r newid yma.

2 farc

1 ______________________ 2 ______________________

(ii) Mae marmor yn graig fetamorffig. O ba un o'r creigiau gwaddod isod y caiff ei ffurfio?

1 marc

tywodfaen A carreg laid B calchfaen C carreg silt D

(b) Gall creigiau gwaddod a chreigiau metamorffig newid yn greigiau igneaidd. Pa **un** o'r canlynol sy'n graig igneaidd?

1 marc

tywodfaen A basalt B llechfaen C sialc D

(c) Gall creigiau igneaidd gael eu newid yn ôl yn greigiau gwaddod. Golyga hyn fynd drwy sawl proses. Ysgrifennwch y llythyren X, Y neu Z ar y diagram i ddangos:

(i) y man lle gwelir y dyddodion **X**

(ii) y man lle digwydd hindreulio **Y**

(iii) y man lle caiff creigiau eu cludo **Z**

3 marc

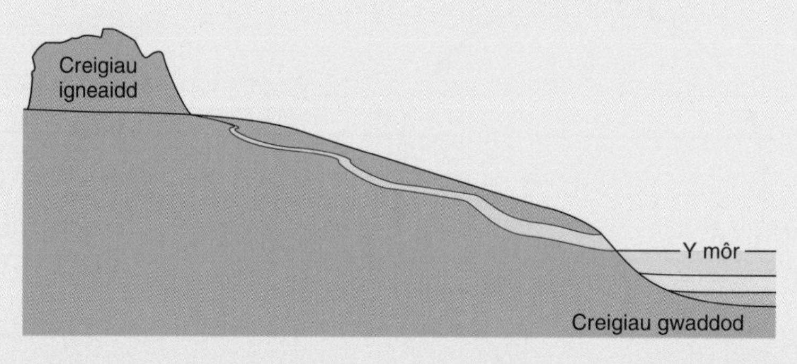

uchafswm 7 marc

2. Mae'r diagram yn dangos adeiledd rhai creigiau o dan ddaear.

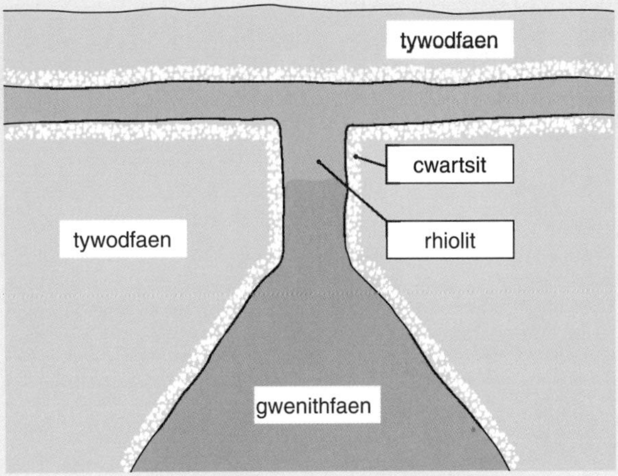

tywodfaen
cwartsit
tywodfaen
rhiolit
gwenithfaen

(a) O'r creigiau sydd yn y diagram, pa **ddwy** a gafodd eu ffurfio o fagma wedi'i oeri?

1 marc

gwenithfaen	A	rhiolit	C
cwartsit	B	tywodfaen	D

(b) Eglurwch pam y mae'r tywodfaen wedi troi'n graig fetamorffig, sef cwartsit, o gwmpas y creigiau igneaidd.

1 marc

____

____

(c) (i) Pa graig yw'r hynaf yn y diagram uchod? ______________ *1 marc*

(ii) Rhowch **un** darn o dystiolaeth o'r diagram sy'n dangos hyn.

1 marc

____

____

(d) Mae'r diagram yn dangos y grisialau sydd mewn gwenithfaen a rhiolit.

gwenithfaen
rhiolit

Pam y mae grisialau gwenithfaen yn fwy na grisialau rhiolit?

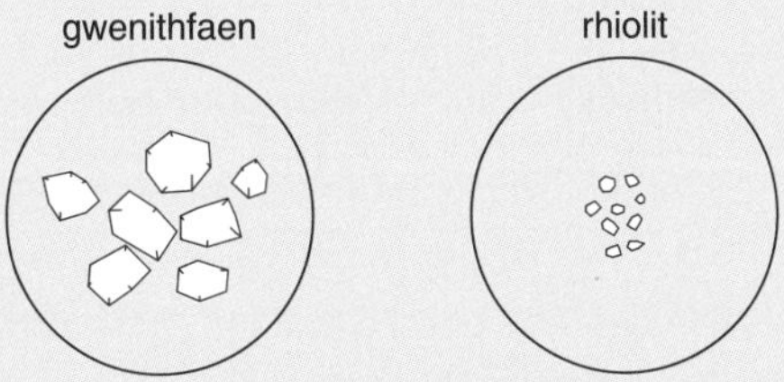

1 marc

____

uchafswm 5 marc

Papur B Lefelau 5–7

1. Mae'r tabl canlynol yn disgrifio pedwar math gwahanol o graig, A, B, C a D.

(a) O'r wybodaeth a roddwyd, nodwch pa fath o graig yw pob un, h.y. gwaddod, igneaidd neu fetamorffig. Mae'r un cyntaf, A, wedi'i wneud yn barod.

3 marc

craig	disgrifiad	y math o graig
A	gronynnog ac yn cynnwys darnau bychan o gregyn	gwaddod
B	grisialau mawr o wahanol fwynau heb ddim patrwm rheolaidd; dim haenau	
C	grisialog, yn cynnwys bandiau o wahanol fwynau	
D	wedi'i ffurfio o ronynnau crwn bychan o dywod tebyg eu maint	

Yn y graig sydd gyferbyn mae'r magma wedi gwthio ei hun i fyny drwy graig waddod gan ffurfio mewnwthiad igneaidd.

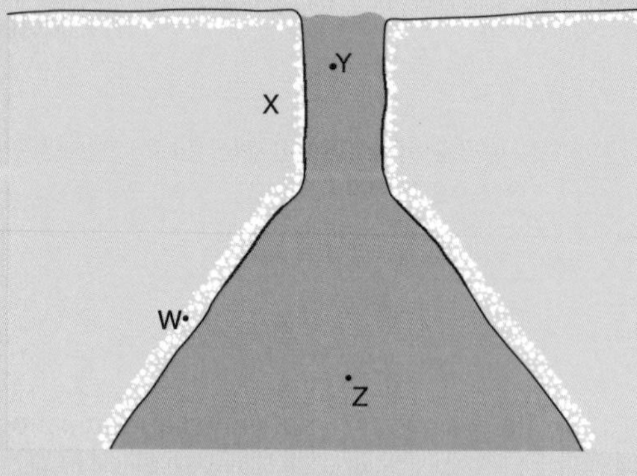

(b) Pa greigiau yn y tabl uchod allai gael eu canfod:

2 farc

(i) wrth bwynt W? ________

(ii) wrth bwynt Z? ________

(c) Eglurwch pam y mae maint y grisialau yn y creigiau wrth Y a Z yn wahanol.

2 farc

____

____

____

(d) Pa fath o newid cyflwr sy'n digwydd pan fydd magma yn grisialu i ffurfio craig igneaidd?

1 marc

O ______________________ i ______________________ .

(e) Eglurwch pam y mae'r band o graig wrth W yn fwy trwchus na'r band o graig wrth X.

1 marc

____

____

uchafswm 9 marc

2. (a) Faint o amser mae'n ei gymryd i'r rhan fwyaf o greigiau gwaddod gael eu ffurfio?

1 marc

Dewiswch yr ateb cywir.

degau o flynyddoedd **A** miloedd o flynyddoedd  **C**

cannoedd o flynyddoedd **B** miliynau o flynyddoedd  **D**

(b) Yn y diffeithdir mae'r dydd yn boeth iawn a'r nos yn oer.
Eglurwch sut y mae hyn yn achosi i'r creigiau gael eu hindreulio.

2 farc

(c) Mae'r diagram ar y dde yn dangos wyneb tywodfaen.

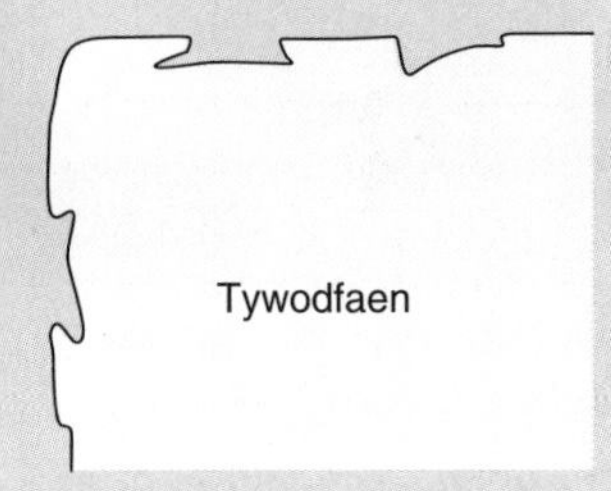

Mae'r tywodfaen yma mewn ardal lle mae'r gaeaf yn wlyb ac yn oer iawn. Eglurwch sut y mae hyn yn achosi i'r tywodfaen gael ei hindreulio.

2 farc

(d) Mae maint y gronynnau tywod all gael eu cludo mewn dŵr yn dibynnu ar gyflymder cerrynt y dŵr.

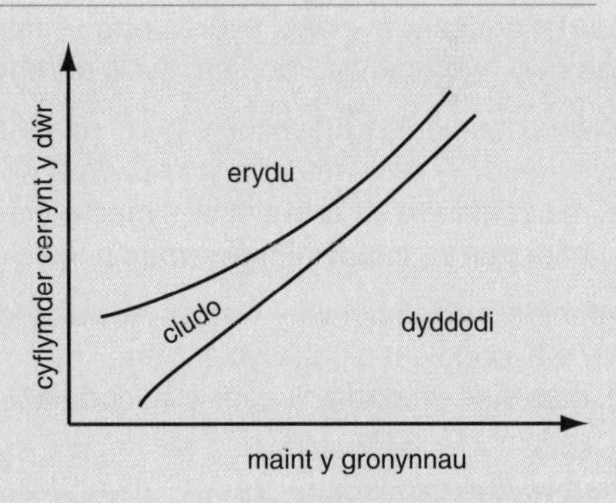

Defnyddiwch y wybodaeth yn y diagram i egluro sut y gallai gwaddod ffurfio wrth aber afon.

2 farc

uchafswm 7 marc

13 Y Gyfres Adweithedd

Mae rhai metelau'n fwy adweithiol na'i gilydd. Gallwn eu rhestru yn nhrefn adweithedd.

Gwybodaeth hanfodol

- Gall metelau adweithio gyda'r canlynol:
  - ocsigen i wneud ocsidau e.e. copr + ocsigen → copr ocsid
  - dŵr i wneud nwy hydrogen
    e.e. sodiwm + dŵr → sodiwm hydrocsid + hydrogen
  - asid i wneud nwy hydrogen
    e.e. magnesiwm + asid hydroclorig → magnesiwm clorid + hydrogen

  (Mae nwy hydrogen yn 'popian' gyda phrennyn sy'n llosgi.)
- Gallwn ddefnyddio'r adweithiau hyn i roi metelau mewn tabl cynghrair adweithedd. Yr enw amdano yw'r Gyfres Adweithedd.
  e.e. mae calsiwm yn adweithiol – mae'n uchel yn y gyfres
  mae aur yn anadweithiol – mae'n isel yn y gyfres.
- Mae metel sy'n uchel yn y Gyfres Adweithedd yn gallu dadleoli un yn is i lawr, o hydoddiant o'i halwyn ei hun.
  e.e. mae sinc yn dadleoli copr o hydoddiant copr sylffad

sinc	+	copr sylffad	→	sinc sylffad	+	copr
(arian-lwyd)		(hydoddiant glas)		(hydoddiant di-liw)		(pinc-frown)

- Gall y Gyfres Adweithedd gael ei defnyddio i wneud rhagfynegiadau am adweithiau.
  C. magnesiwm + copr ocsid → ?
  A. mae magnesiwm yn fwy adweithiol na chopr – felly mae'n dadleoli copr.

magnesiwm	+	copr ocsid	→	magnesiwm ocsid	+	copr
(arian-lwyd)		(du)		(llwyd-wyn)		(brown)

potasiwm
sodiwm
calsiwm
magnesiwm
sinc
haearn
tun
copr

Geiriau Defnyddiol

Y Gyfres Adweithedd   adweithiol

metelau   dadleoli

hydrogen

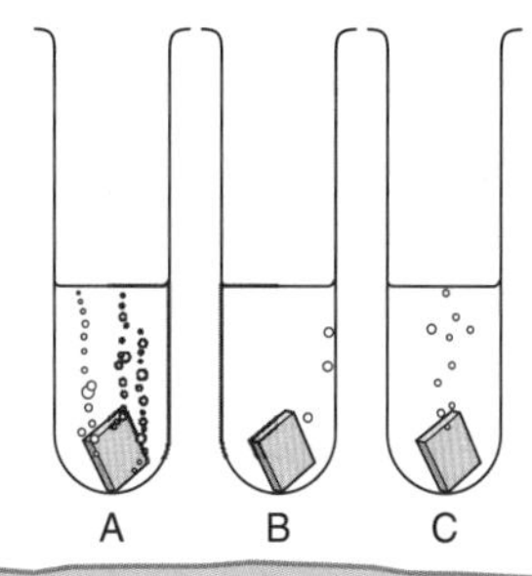

Prawf Cyflym

- Yr enw am y tabl cynghrair ar gyfer ______________[1] yw ______________________[2].
- Mae sodiwm yn fetel __________[3]. Mae'n adweithio'n gyflym gyda dŵr i wneud nwy __________[4].
- Mae sinc yn fwy adweithiol na thun. Mae'n ______________[5] tun o hydoddiant tun clorid.
- Cwblhewch yr hafaliadau geiriau canlynol:

magnesiwm + dŵr (ager) → magnesiwm ocsid + ______________[6]

haearn + asid hydroclorig → haearn clorid + ______________[7]

calsiwm + ocsigen → ______________________[8]

- Defnyddiwch y Gyfres Adweithedd i gwblhau'r hafaliadau geiriau canlynol:

magnesiwm + copr sylffad → ______________________ + ______________________[9, 10]

tun + sinc clorid → ________________ + ________________[11, 12]

sinc + copr ocsid → ________________ + ________________[13, 14]

- Mae metel X yn adweithio'n gyflym gyda dŵr oer.

Dydy Metel Y ddim yn adweithio gyda dŵr oer neu ager.

Mae Metel Z yn adweithio'n araf gyda dŵr oer ac yn gyflym gydag ager.

Rhowch X, Y a Z yn nhrefn adweithedd:

____[15] (mwyaf adweithiol); ____[16]; ____[17] (lleiaf adweithiol)

- Mae'r diagram uchod yn dangos 3 metel mewn asid.

Rhowch y metelau yn nhrefn adweithedd. Esboniwch eich ateb.

____[18] (mwyaf adweithiol); ____[19]; ____[20] (lleiaf adweithiol)

Esboniad

____

____[21]

Papur A Lefelau 3-6

1. Mae'r ddau ddiagram isod yn dangos adwaith pedwar metel gyda dŵr oer a gydag asid nitrig gwanedig.

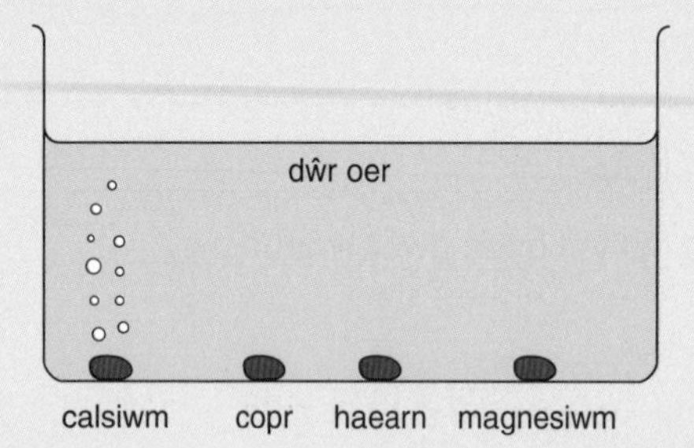

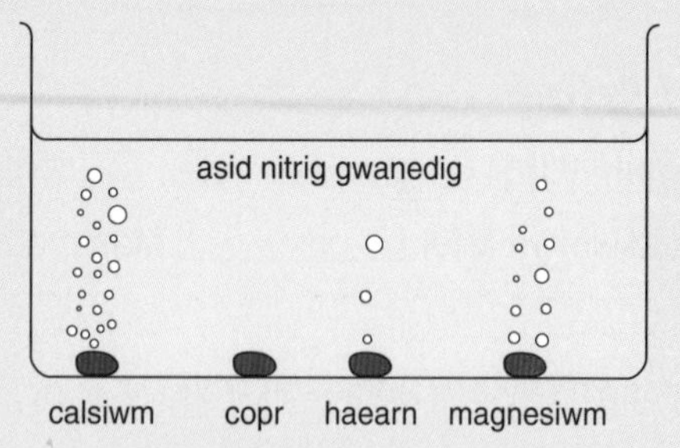

Defnyddiwch y wybodaeth sydd uchod i ateb y cwestiynau canlynol.

(a) Enwch fetel sy'n adweithio gyda dŵr oer. ______________________

1 marc

(b) Enwch fetel sy'n adweithio gydag asid nitrig gwanedig ond nid gyda dŵr oer.

1 marc

____

(c) Enwch y metel nad yw'n adweithio gyda dŵr oer nac asid nitrig gwanedig.

1 marc

____

(d) Trefnwch y metelau yn nhrefn adweithedd gyda'r **mwyaf** adweithiol ar y top. *1 marc*

______________________ **y mwyaf adweithiol**

____

____

______________________ **y lleiaf adweithiol**

(e) Cwblhewch yr hafaliad geiriau canlynol ar gyfer adwaith calsiwm gydag asid nitrig gwanedig.

1 marc

calsiwm + asid nitrig gwanedig ➞ calsiwm nitrad + ______________________

uchafswm 5 marc

2. Mae Lowri wedi bod wrthi yn gwneud ychydig brofion ar adweithedd pedwar metel. Dyma ei chanlyniadau.

Metel	hydoddiant copr sylffad	hydoddiant haearn sylffad	hydoddiant magnesiwm sylffad	hydoddiant sinc sylffad
copr		✘	✘	✘
haearn	✔		✘	✘
magnesiwm	✔	✔		✔
sinc	✔	✔	✘	

(a) Edrychwch ar ganlyniadau Lowri ac ysgrifennwch trefn adweithedd y metelau hyn.

1 marc

_______________ **y mwyaf adweithiol**

____

____

_______________ **y lleiaf adweithiol**

(b) Cwblhewch yr hafaliad geiriau isod.

1 marc

sinc + copr sylffad → _______________ + _______________

(c) Mae metel copr yn frown ac mae hydoddiant copr sylffad yn las.
Ysgrifennwch **ddau** beth y byddai Lowri yn eu gweld pan fyddai'n adweithio sinc gyda hydoddiant copr sylffad.

2 farc

1 _______________

2 _______________

(d) (i) Mae un o'r metelau yn y tabl yn adweithio gyda dŵr cynnes i roi hydrogen.
Pa un o'r metelau sydd fwyaf tebygol o adweithio fel hyn?

1 marc

____

(ii) Pa fetel fyddai orau i wneud pibellau i gludo dŵr cynnes?

1 marc

____

uchafswm 6 marc

Papur B Lefelau 5–7

1. Mae'r tabl isod yn cynnwys gwybodaeth am bedwar metel.

metel	adweithio'n dda gyda		
	dŵr oer	**dŵr poeth**	**asid gwanedig**
A	ydy	ydy	ydy
B	nac ydy	nac ydy	ydy
C	nac ydy	ydy	ydy
D	nac ydy	nac ydy	nac ydy

(a) Edrychwch ar y wybodaeth yn y tabl, yna trefnwch y metelau yn nhrefn adweithedd gan ddechrau gyda'r un **lleiaf** adweithiol.

1 marc

y lleiaf adweithiol	→		y mwyaf adweithiol

(b) Gan ddefnyddio eich gwybodaeth am adweithedd metelau awgrymwch pa un o'r metelau, A, B, C neu D, fyddai'r canlynol:

2 farc

(i) sodiwm ________ (ii) copr ________

(c) Gallai metel B fod yn sinc neu'n haearn. Mae sinc yn fwy adweithiol na haearn. Ysgrifennwch hafaliad geiriau ar gyfer yr adwaith rhwng sinc a haearn sylffad.

1 marc

______________________ → ______________________

(d) Mae calsiwm yn adweithio gyda dŵr oer.

calsiwm + dŵr → calsiwm hydrocsid + hydrogen

Beth y mae hyn yn ei ddweud wrthoch chi am adweithedd calsiwm o'i gymharu ag adweithedd hydrogen?

1 marc

____

(e) Eglurwch pam na ddylai dŵr gael ei ddefnyddio i ddiffodd tân lle mae calsiwm yn bresennol.

2 farc

____

____

uchafswm 7 marc

2. Dyma gyfres adweithedd elfennau yn dechrau gyda'r mwyaf adweithiol:

sodiwm calsiwm magnesiwm alwminiwm carbon sinc haearn tun plwm
(y mwyaf adweithiol → y lleiaf adweithiol)

(a) Gallwn gael rhai metelau o'u mwynau drwy eu gwresogi gyda charbon.
Pa rai o'r metelau hyn fyddai'n bosib eu cael drwy wneud hyn?

1 marc

____

(b) Caiff blociau o fetel mwy adweithiol eu rhoi ar gyrff dur llongau i'w hatal rhag rhydu. Bydd y metel mwy adweithiol yn rhydu'n araf yn lle'r corff dur.

corff dur

bloc metel

(i) Rhowch **un** metel o'r rhestr uchod a fyddai'n addas at y pwrpas yma. *1 marc*

____

(ii) Rhowch **un** metel o'r rhestr uchod a fyddai'n anaddas at y pwrpas yma ac eglurwch pam y byddai'n anaddas.

2 farc

Enw'r metel ______________________________

Byddai'n anaddas oherwydd ______________________________

____

(c) Mae riwbob wedi'i stiwio yn asidig. Mae ei pH o gwmpas 3.0.

(i) Awgrymwch pam na ddylai sosbenni alwminiwm gael eu defnyddio i goginio riwbob.

1 marc

____

(ii) Gall riwbob gael ei goginio mewn sosbenni copr.
Beth y mae hyn ei ddweud wrthoch chi am adweithedd copr?

1 marc

____

uchafswm 6 marc

Asidau ac alcalïau

Mae'r rhain i gyd yn cynnwys asidau.

Mae'r rhain i gyd yn cynnwys alcalïau.

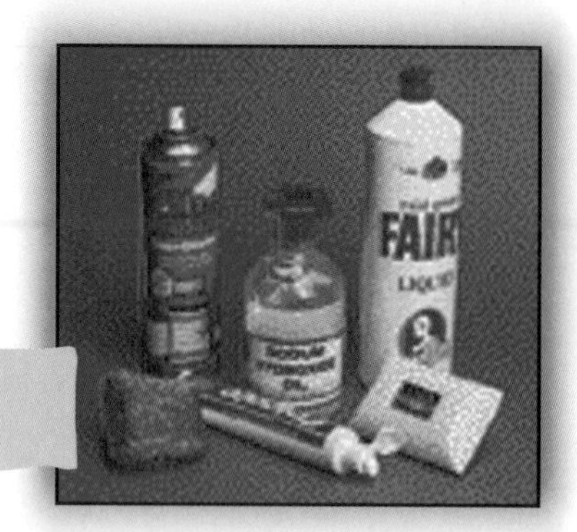

Gwybodaeth hanfodol

- Mae asidau ac alcalïau yn gemegau gwrthgyferbyniol.
  Mae alcalïau yn fasau (ocsidau metel, hydrocsidau neu garbonadau) sy'n hydoddi mewn dŵr.
- Gallwn ddefnyddio dangosyddion i ddangos beth sy'n asid a beth sy'n alcali. Mae aeron lliw, petalau blodau a llysiau i gyd yn ddangosyddion da.
- Mae'r dangosydd cyffredinol yn gymysgedd o ddangosyddion. Mae ei liw yn rhoi i chi rif pH y sylwedd sy'n cael ei brofi.

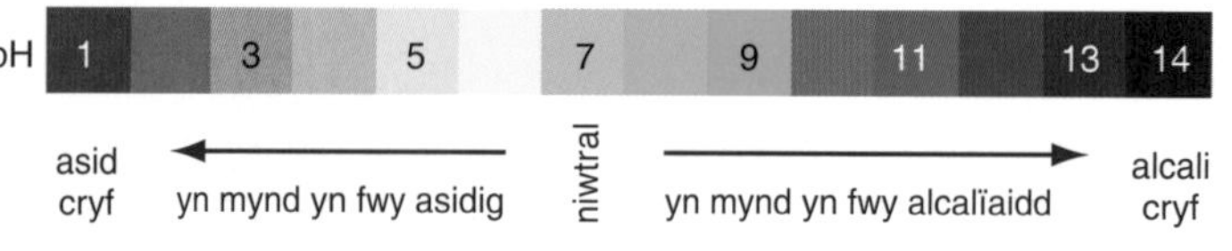

- Gall asidau gael eu newid yn halwynau o ganlyniad i adweithiau cemegol.
  asid + metel → halwyn + hydrogen
  asid + bas (alcali) → halwyn + dŵr
  e.e. asid + ocsid metel → halwyn + dŵr
  e.e. asid + metal carbonad → halwyn + dŵr + carbon deuocsid
  (mae nwy carbon deuocsid yn troi dŵr calch yn gymylog)
- Mae'r adwaith asid + bas yn cael ei alw'n niwtraliad.
  e.e. asid sylffwrig (asid) + potasiwm hydrocsid (bas) → potasiwm sylffad (halwyn) + dŵr
  Mae niwtraliad yn adwaith defnyddiol.
  e.e. Mae asid yn niweidio'r dannedd. Mae alcali yn cael ei ychwanegu at bast dannedd er mwyn niwtraleiddio'r asid sydd yn y geg. Mae rhai planhigion yn tyfu'n well mewn pridd alcalïaidd. Gall calch gael ei ychwanegu at y pridd er mwyn newid ei pH.
- Gall asidau yn yr atmosffer achosi niwed. Gall glaw asid gyrydu metel. Gall adweithio â'r graig (e.e. calchfaen).

Geiriau Defnyddiol

pH asid alcali

basau niwtraliad

halwynau clorid nitrad

dangosydd cyffredinol

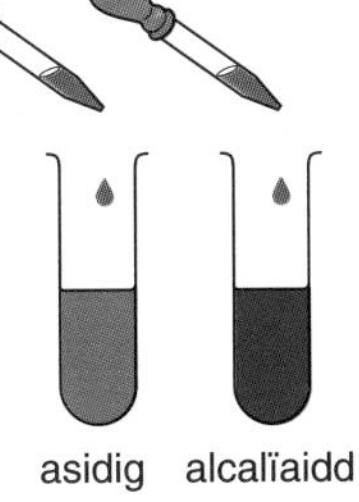

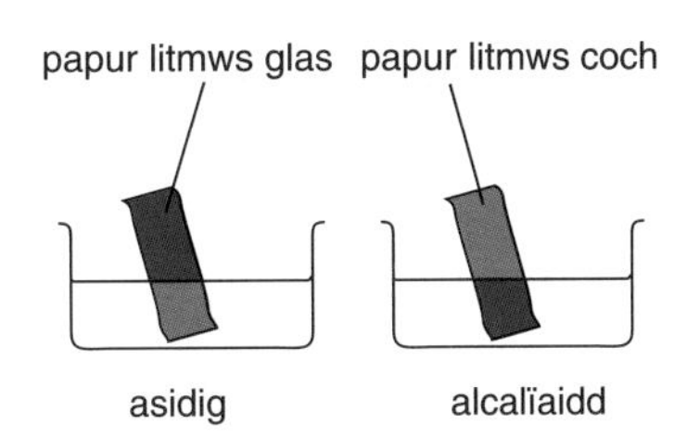

Mae litmws yn ddangosydd defnyddiol. Gall gael ei ddefnyddio fel papur neu hylif.

Prawf Cyflym

- Mae hydoddiant â rhif _______ [1] 7 yn niwtral.
  Mae _______________________ [2] yn wyrdd pan gaiff ei ychwanegu at yr hydoddiant.
- Mae ocsidau, hydrocsidau a charbonadau metelau yn cael eu galw'n _______________ [3].
  Maent i gyd yn adweithio gydag asidau i wneud _______________ [4] + dŵr.
- Mae asid sylffwrig yn cael ei ddefnyddio i wneud sylffad. Mae asid hydroclorig yn cael ei ddefnyddio i wneud _______ [5]. Mae asid nitrig yn cael ei ddefnyddio i wneud _______ [6].
- Gall amoniwm sylffad, gwrtaith, gael ei wneud o amoniwm hydrocsid ac _______ [7] sylffwrig.
  Dyma adwaith _______________________ [8].
  Gall gormod o asid yn y stumog achosi diffyg traul. Mae tabledi at ddiffyg traul yn cynnwys _________ [9] i niwtraleiddio'r asid.
-

Hydoddiant	A	B	C	D	E	F
Gwerth pH	9	2	7	10	11	13

I ba liw y bydd papur pH yn troi gydag F? _______________________ [10]

Pa hydoddiant, o'i gymysgu gyda D, allai ffurfio hydoddiant niwtral? ____ [11]

Pa hydoddiant yw'r alcali gwannaf? ____ [12] Pa hydoddiant allai fod yn ddŵr? ____ [13]

Mae metel magnesiwm yn cael ei ychwanegu at B. Beth fyddech chi'n disgwyl ei weld?

_______________________________________ [14]

Mae sodiwm carbonad yn cael ei ychwanegu at B. Beth fyddech chi'n disgwyl ei weld?

_______________________________________ [15]

- Cwblhewch yr hafaliadau geiriau isod:
  sodiwm hydrocsid + asid sylffwrig → _______________________ [16] + _____________ [17]
  copr carbonad + asid hydroclorig →
  _______________________ [18] + _______________________ [19] + _____________ [20]

Papur A Lefelau 3-6

1. (a) O'r gosodiadau isod ynglŷn ag asidau pa **ddau** sy'n wir?

2 farc

Mae asidau yn troi papur litmws o goch i las	A	Mae asidau bob amser yn wenwynig	D
Mae asidau yn adweithio gyda charbonadau	B	Mae asidau yn niweidio dannedd	E
Mae asidau bob amser yn hydoddi plastigion	C	Ni all asidau gael eu storio mewn poteli gwydr	F

(b) Caiff papur pH ei ddefnyddio i brofi a yw hydoddiant yn asidig, yn niwtral neu'n alcalïaidd.

lliw'r papur pH	coch	oren	melyn	gwyrdd	glas	porffor
pH hydoddiant	0-4	5	6	7	8-10	11-14

(i) Ticiwch y briodwedd gywir ar gyfer pob sylwedd. Mae'r un cyntaf wedi'i wneud yn barod.

4 marc

sylwedd	lliw'r papur pH	asidig	niwtral	alcalïaidd
sudd lemon	coch	✔		
past dannedd	glas			
dŵr distyll	gwyrdd			
glanhäwr popty	porffor			
llaeth	melyn			

(ii) Mae'r un faint o sudd lemon a llaeth yn cael eu cymysgu.
Beth fydd pH y cymysgedd yma yn debygol o fod?

1 marc

pH 4	A	pH 8	C
pH 7	B	pH 12	D

(c) Mae ychydig o bowdr calchfaen yn cael ei ychwanegu at sudd lemon.
Beth fyddech chi'n ei weld yn digwydd?

1 marc

____

uchafswm 8 marc

2. Mae magnesiwm yn adweithio gydag asid hydroclorig gwanedig ac mae nwy yn cael ei ryddhau.

(a) O'r nwyon isod pa **un** sy'n cael ei ryddhau yn ystod yr adwaith yma?

1 marc

carbon deuocsid A

clorin B

hydrogen C

ocsigen D

(b) O'r profion isod pa **un** allai gael ei ddefnyddio i ddarganfod y nwy yma?

1 marc

Mae dŵr calch yn troi'n llaethog. A

Mae prennyn sy'n mudlosgi yn ailgynnau. B

Mae prennyn sy'n llosgi yn diffodd. C

Mae prennyn sydd ynghynn yn popian. D

(c) Beth yw enw'r halwyn sydd hefyd yn cael ei gynhyrchu pan fydd magnesiwm yn adweithio ag asid hydroclorig?

1 marc

____

(d) Ar ddiwedd yr adwaith mae rhywfaint o fagnesiwm yn cael ei adael heb adweithio. Sut mae cael grisialau o'r halwyn?

2 farc

____

____

____

(e) Mae magnesiwm sylffad yn cael ei wneud drwy adweithio magnesiwm gydag asid arall. Enwch yr asid arall yma.

1 marc

____

uchafswm 6 marc

Papur B Lefelau 5–7

1. Mae'r tabl isod yn rhoi gwybodaeth am hydoddiant tri math gwahanol o halwyn mewn dŵr.

enw'r halwyn yn yr hydoddiant	pH yr hydoddiant
potasiwm nitrad	7
potasiwm hydrogensylffad	3
sodiwm carbonad	12

(a) Pa ddau hydoddiant o'r uchod allai ffurfio hydoddiant niwtral pan gânt eu cymysgu?

1 marc

______________________ a ______________________

(b) Mae sodiwm carbonad yn adweithio gydag asid hydroclorig gwanedig.

(i) Pa nwy sy'n cael ei gynhyrchu gan yr adwaith yma?

1 marc

____

(ii) Disgrifiwch a rhowch ganlyniad prawf cemegol syml ar gyfer y nwy yma.

2 farc

____

____

(iii) Beth yw enw'r halwyn sydd hefyd yn cael ei gynhyrchu gan yr adwaith yma?

1 marc

____

(c) Mae cen (*limescale*) yn cael ei achosi gan galsiwm carbonad yn crynhoi.
Pa **un** hydoddiant o'r rhai sydd yn y rhestr isod allai gael ei ddefnyddio i waredu'r cen?

1 marc

sodiwm hydrocsid **A**

dangosydd cyffredinol **B**

asid sitrig **C**

sodiwm clorid **D**

uchafswm 6 marc

2. Mae tabledi soda yn cael eu defnyddio i roi swigod mewn dŵr.
Mae sodiwm hydrogencarbonad mewn tabledi soda.
Dyma rai priodweddau sodiwm hydrogencarbonad:

Mae'n solid gwyn.

Nid yw'n wenwynig.

Mae'n hydawdd mewn dŵr.

Mae'n ffurfio hydoddiant â pH o ryw 8.5.

Nid oes blas iddo.

(a) Ydy hydoddiant sodiwm hydrogencarbonad yn asidig, yn niwtral neu'n alcalïaidd?

1 marc

____

(b) Rhowch **ddau** ddarn o wybodaeth sy'n dweud wrthoch chi y gallwch chi yfed dŵr sy'n cynnwys sodiwm hydrogencarbonad.

2 farc

1 ______________________________

2 ______________________________

(c) Mae tabledi soda hefyd yn cynnwys asid tartarig. Mae'r asid yn adweithio gyda sodiwm hydrogencarbonad i ffurfio halwyn. Yr halwyn yma yw tartar. Mae'r adwaith yn cael ei ddangos yn yr hafaliad geiriau isod.

sodiwm hydrogencarbonad + asid tartarig → **x** + carbon deuocsid + dŵr

1 marc

Beth yw enw cynnyrch **x**? ______________________________ .

(d) Pan fydd tabled soda yn cael ei ollwng mewn dŵr mae nwy yn cael ei ollwng sy'n rhoi swigod mewn dŵr.

1 marc

Enwch y nwy yma.______________________________

(e) Pam y mae'n rhaid i dabledi soda gael eu cadw mewn potel aerglos?

1 marc

____

____

uchafswm 6 marc

15 Egni

Gwybodaeth hanfodol

- Er mwyn i rywbeth gael ei wneud, rhaid i egni gael ei drosglwyddo o'r naill le i'r llall. Gall egni gael ei drosglwyddo trwy drydan, sain, golau neu drosglwyddiad thermol (gwres).
- Gall egni gwres gael ei drosglwyddo drwy ddargludiad, darfudiad a phelydriad.
- Gall egni ymddangos mewn nifer o wahanol ffurfiau, gan gynnwys: egni thermol (gwres), golau, sain, trydan, niwclear, egni cemegol, ayb. 1 cilojoule = 1000 joule. Mae egni sy'n cael ei storio yn cael ei alw'n egni potensial. Mae egni sy'n symud yn cael ei alw'n egni cinetig.
- Mae tanwydd yn storio egni. Mae glo, olew a nwy naturiol yn danwydd ffosil. Maen nhw'n ffynonellau anadnewyddadwy o egni (nid yw'r adnoddau'n ddiderfyn – byddant yn dod i ben). Mae wraniwm yn ffynhonnell anadnewyddadwy arall.
- Cawn egni hefyd o'r gwynt, o donnau'r môr, yr haul (egni solar), cronfeydd trydan dŵr, y llanw, gorsafoedd geothermol, ac o fiomas (e.e. planhigion). Mae'r ffynonellau hyn yn adnewyddadwy (gallant gael eu hadnewyddu).
- Gall trydan gael ei gynhyrchu o adnoddau anadnewyddadwy ac adnewyddadwy.
- Daw y rhan fwyaf o'n hegni (yn anuniongyrchol) o'r Haul.
- Deddfau egni:
  1. Mae'r egni sy'n bod cyn iddo gael ei drosglwyddo bob amser yn hafal i'r egni sy'n bod ar ôl iddo gael ei drosglwyddo. 'Cadwraeth egni' yw'r term am hyn.
  2. Wrth i egni gael ei drosglwyddo, bydd yr egni yn lledu ac yn llai defnyddiol i ni.
- Os bydd tymheredd gwrthrych yn codi, bydd ei atomau yn dirgrynu mwy. Yr egni thermol (neu wres) yw cyfanswm egni yr holl atomau sy'n dirgrynu yn y gwrthrych.

Geiriau Defnyddiol

dargludiad darfudiad cadwraeth egni

cinetig potensial anadnewyddadwy

trosglwyddo haul golau cemegol

atomau thermol adnewyddadwy trydan

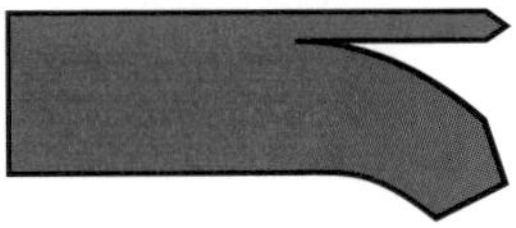

egni'n cael ei drosglwyddo mewn tortsh

egni sydd wedi'i storio yn y batri **100J**

egni sy'n goleuo'r ystafell **4J**

egni sy'n gwresogi'r bylb a'r ystafell **96J**

Prawf Cyflym

- Mae egni car sy'n symud yn cael ei alw'n egni ______[1].
  Mae egni carreg ar ben clogwyn yn cael ei alw'n egni ______[2] (wedi'i storio).

- Y prif danwydd ffosil yw ______[3], ______[4], a nwy naturiol. Dyma'r adnoddau ______[5].
  Daeth yr egni sydd mewn glo, olew a nwy naturiol yn wreiddiol o'r ______[6].

- Mae'r egni a ddaw o gronfa trydan dŵr yn adnodd ______[7].
  Enwch saith ffynhonnell adnewyddadwy o egni: ______ ______[8].

- Er mwyn gwresogi sosban o ddŵr, rhaid iddo gael egni ______[9].
  Os yw tymheredd y sosban yn codi, mae'r ______[10] yn digrynu *mwy/llai*[11].
  Cyfanswm ______[12] yr holl atomau sy'n dirgrynu yw'r egni ______[13].
  Mae'r egni yn cael ei drosglwyddo drwy'r sosban drwy ______[14] a drwy'r dŵr drwy ______[15] yn bennaf.

- Pan fydd tegan clocwaith yn symud, mae'r egni sydd wedi'i storio (potensial) yn y sbring sydd wedi'i weindio yn cael ei ______[16] yn egni ______[17].

- Mewn tortsh (edrychwch ar y diagram), mae'r egni ______[18] yn y batri yn cael ei drosglwyddo yn ______[19] i'r bylb, lle mae'n ymddangos fel egni ______[20] ac egni ______[21]. Wrth gael ei drosglwyddo, bydd cyfanswm yr egni yr un fath (dyma yw ______[22]), ond wedyn bydd yn lledu a bydd yn *fwy/llai*[23] defnyddiol i ni.

Papur A Lefelau 3–6

1. Mae gan Aled gar tegan trydan. Mae'r diagram yn dangos y gylched drydanol yn y car.

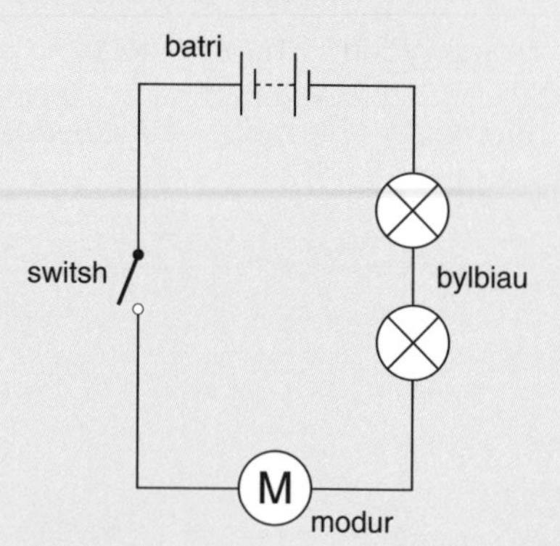

(a) Pa ran o'r gylched yw ffynhonnell yr egni?

1 marc

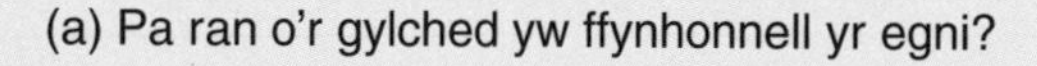

(b) Pa derm sydd ei angen i gwblhau'r frawddeg:
Mae egni'n cael ei storio yn ffynhonnell yr egni fel …

1 marc

egni cemegol	A
egni cinetig	B
egni golau	C
egni thermol	D

Pan fydd y switsh yn cau bydd goleuadau'r car yn cael eu troi ymlaen a bydd y car yn symud ymlaen.

(c) Mae'r rhestr isod yn rhoi rhai ffurfiau gwahanol ar egni. Defnyddiwch nhw i ateb rhannau (i) a (ii).

cemegol **trydanol** **gwres** **cinetig**

golau **potensial** **sain**

(i) Pa egni **defnyddiol** a gaiff ei drosglwyddo yn y modur?

2 farc

egni ______________ ➡ egni ______________.

(ii) Caiff gwastraff egni o'r bylbiau ei drosglwyddo i'r amgylchedd fel

1 marc

egni ______________.

uchafswm 5 marc

2. (a) Mae glo yn ffynhonnell anadnewyddadwy o egni.

(i) Dewiswch **ddwy** ffynhonnell anadnewyddadwy arall.

2 farc

gwynt	A	olew	D
cnydau tanwydd (biomas)	B	tonnau	E
y llanw	C	nwy naturiol	F

(ii) Eglurwch pam y caiff glo ei ddisgrifio'n ffynhonnell **anadnewyddadwy** o egni.

1 marc

____

____

(b) Mae glo yn storfa o egni. O ble y daeth yr egni yma yn wreiddiol?

1 marc

____

(c) Mae pob un o'r dyfeisiadau yn dangos tanwydd **gwahanol**. Tynnwch linell rhwng pob dyfais a'r tanwydd priodol. Dim ond unwaith y cewch ddefnyddio pob tanwydd.

3 marc

Petrol

Nwy

Coed

(d) Mae'r tanwyddau yn (c) yn cael eu disgrifio isod. Enwch bob tanwydd. *3 marc*

(i) Mae tanwydd A yn cael ei storio fel arfer o dan wasgedd mewn tanciau neu silindrau bychan.

_______________ yw tanwydd A

(ii) Mae tanwydd B yn ffynhonnell adnewyddadwy o egni.

_______________ yw tanwydd B

(iii) Gall tanwydd C gael ei storio mewn tanciau ond nid o dan wasgedd.

_______________ yw tanwydd C

uchafswm 10 marc

Papur B Lefelau 5–7

1. (a) Mae'r tabl isod yn dangos tarddiad rhai o'r ffynonellau egni.
Gyferbyn â phob un o'r ffynonellau, dewiswch **un** ateb o'r golofn gywir.

4 marc

ffynhonnell egni	cafwyd yn uniongyrchol o'r haul	cafwyd yn anuniongyrchol o'r haul	ni chafwyd o'r haul
biomas			
geothermol			
solar			
gwynt			

(b) (i) Mae'r diagram isod yn dangos yr egni sy'n cael ei drosglwyddo pan fydd petrol yn llosgi mewn injan car.
Cwblhewch y diagram drwy lenwi'r ddau fwlch.

2 farc

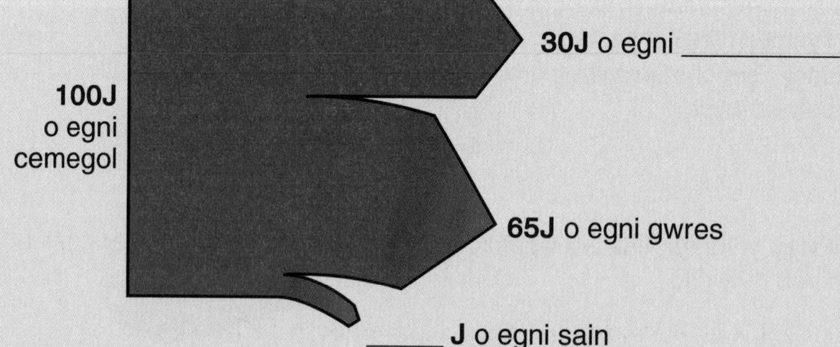

(ii) Pan fydd 1 g o betrol yn cael ei losgi, bydd yn cynhyrchu 40 kJ o egni.
Faint o egni **defnyddiol** a geir pan fydd 1 g o betrol yn llosgi mewn injan car?

1 marc

____

____

(c) Mae egni nad yw'n gwneud gwaith defnyddiol yn cael ei alw weithiau yn 'egni a gollwyd'. Ydy'r egni wedi'i golli mewn gwirionedd? Eglurwch eich ateb.

1 marc

____

____

uchafswm 8 marc

2. Mewn gorsaf bŵer mae dŵr yn cael ei drawsnewid yn ager. Mae'r ager yn troi generadur sy'n cynhyrchu trydan.

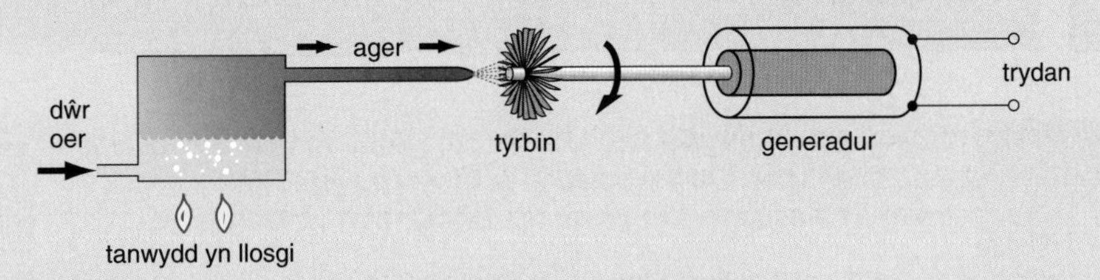

(a) Enwch **un** trosglwyddiad egni a fydd yn digwydd mewn gorsaf bŵer.

1 marc

____

(b) Dydy'r holl egni sy'n cael ei ryddhau gan y tanwydd ddim yn cael ei amsugno gan y dŵr. Beth fydd yn digwydd i'r egni sy'n 'wastraff'?

1 marc

____

____

(c) Eglurwch pam na all y 'gwastraff' egni gael ei ddefnyddio i wneud ager.

1 marc

____

____

(d) Dewiswch eiriau o'r rhestr yma i ddisgrifio beth fydd yn digwydd i'r dŵr pan gaiff ei wresogi.

lleihau **cynyddu** **symud yn arafach** **symud yn gyflymach**

3 marc

	pan gaiff ei wresogi
tymheredd y dŵr:	
symudiad y moleciwlau dŵr:	
cyfanswm egni'r dŵr:	

(e) Eglurwch ystyr **cyfanswm yr egni** sydd yn y dŵr.

1 marc

____

____

uchafswm 7 marc

16 Golau

Gwybodaeth hanfodol

- Mewn aer, bydd golau yn teithio mewn llinell syth, ar fuanedd uchel iawn. Mewn gwydr, bydd yn teithio'n fwy araf.
- Mae golau yn teithio'n gyflymach na sain.
- Os bydd pelydrau golau yn cael eu stopio gan wrthrych, yna bydd cysgod yn ffurfio.
- Gallwch weld y dudalen yma oherwydd bod rhai pelydrau golau (o ffenestr neu lamp) wedi'u gwasgaru gan y papur, ac yna'n teithio i'ch llygaid.
- Deddf adlewyrchiad: mae'r ongl drawiad (***i***) bob amser yn hafal i'r ongl adlewyrchiad (***r***).
- Mae'r ddelwedd mewn drych plân yr un pellter y tu ôl i'r drych ag y mae'r gwrthrych y tu blaen iddo.
- Plygiant: pan fydd pelydr golau yn mynd i mewn i wydr caiff ei blygu *tuag at* y llinell normal. Y rheswm am hyn yw bod y golau yn arafu yn y gwydr. Pan ddaw'r golau allan o'r gwydr bydd wedi'i blygu *i ffwrdd* o'r llinell normal.
- Pan fydd golau gwyn yn mynd i mewn i brism (gweler tudalen 97), caiff ei wasgaru'n wahanol liwiau sef 7 lliw y sbectrwm.
- Bydd hidlydd coch ond yn gadael golau coch drwodd (y gallwn ei weld). Mae'n amsugno'r holl liwiau eraill.
- Bydd gwrthrych gwyrdd yn adlewyrchu golau gwyrdd (y gallwn ei weld). Mae'n amsugno'r holl liwiau eraill.

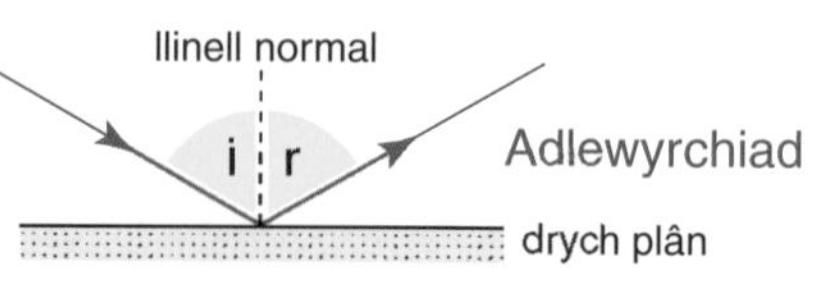

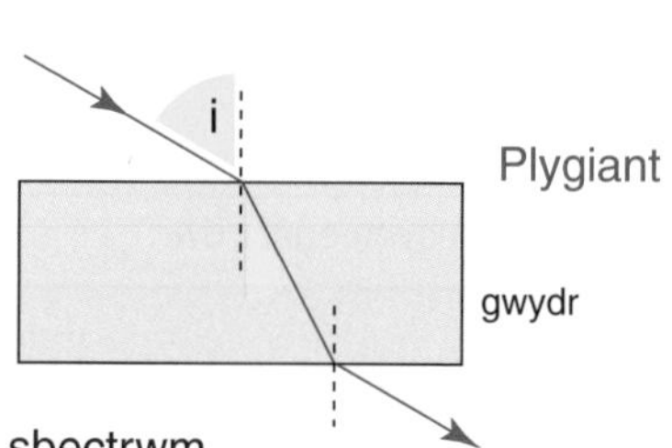

Geiriau Defnyddiol

pelydryn adlewyrchiad trawiad

buanedd plygu plygiant

amsugno gwasgariad sbectrwm

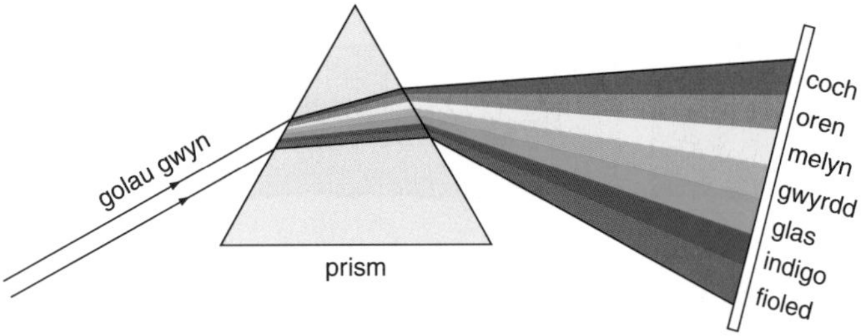

golau gwyn
prism
coch
oren
melyn
gwyrdd
glas
indigo
fioled

Prawf Cyflym

- Mae golau'n teithio yn fwy *araf/cyflym*[1] na sain.

  Mae'r ddeddf ________________[2] yn dweud:

  mae'r ongl _____________[3] (i) bob amser yn hafal i'r ongl ___________[4] (r).

  Mae gwrthrych 50 cm y tu blaen i ddrych. Ble yn union y mae ei ddelwedd?

  ____[5]

- Mewn aer, bydd ___________[6] golau yn teithio mewn llinell syth ar ________[7] uchel.

  Os bydd y pelydryn yn mynd i mewn i floc gwydr bydd yn *arafu/cyflymu*[8], a bydd y pelydryn yn _____________[9]. Pan fydd hyn yn digwydd bydd yn plygu *tuag at/i ffwrdd*[10] o'r llinell normal. Yr enw am hyn yw ______________[11].

  Pan ddaw'r pelydryn golau allan o'r gwydr bydd wedi'i blygu *tuag at/i ffwrdd*[12] o'r llinell normal.

- Gall __________[13] gael ei ddefnyddio i wasgaru golau gwyn yn 7 lliw y __________[14]. Yr enw am hyn yw ________________[15]. Y 7 lliw (mewn trefn) yw: coch, ______________[16], ______________[17], ____________[18], __________[19], _____________[20], ______________[21].

- Mae hidlydd glas yn gadael golau _______[22] drwodd yn unig. Mae'n ________________[23] pob lliw arall. Mae llyfr coch yn adlewyrchu golau __________[24]. Mae'n ______________[25] pob lliw arall. Pan fydd golau glas yn unig yn disgleirio ar lyfr coch, bydd yn edrych yn *goch/glas/du*[26].

- Os byddwch yn dal eich llaw ger golau, bydd cysgod yn cael ei greu ar y wal.

  Eglurwch pam:

  ____

  ____[27]

16 Papur A Lefelau 3–6

1. (a) Pa **un** o'r datganiadau canlynol am olau sy'n wir?

1 marc

Mae golau yn teithio yn fwy araf na sain. A

Mae golau yn teithio ar yr un buanedd â sain. B

Mae golau yn teithio ychydig yn fwy cyflym na sain. C

Mae golau yn teithio lawer yn fwy cyflym na sain. D

(b) Mae'r diagram yn dangos pedwar plentyn yn sefyll o gwmpas sied yn yr ardd.

Gall Amy weld Ben a Dan, ond ni all weld Carys.
Pa barau o blant all weld ei gilydd?

4 marc

	Amy	Ben	Carys	Dan
Amy				
Ben				
Carys				
Dan				

(c) (i) Pa wrthrych syml y gallai Dan ei ddal a fyddai'n caniatáu i Amy weld Carys?

1 marc

____

(ii) Sut y byddai hyn yn caniatáu i Amy weld Carys?

1 marc

____

(d) Wrth chwarae mae'r plant yn sylwi ar enfys yn yr awyr.
Mae enfys yn cael ei ffurfio o olau'r haul a dafnau glaw.
Beth fydd yn digwydd i olau'r haul er mwyn iddo ffurfio enfys?

1 marc

____

____

uchafswm 8 marc

2. Mae golau ar dŷ Meilyr. Pan fydd yn cerdded i fyny'r llwybr bydd y golau'n troi ymlaen. Pan fydd y golau ymlaen yn y nos, bydd Meilyr yn creu cysgod ar y llwybr.

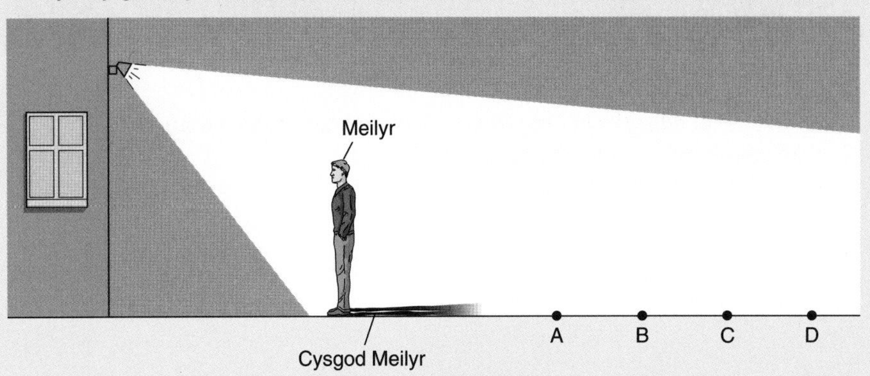

(a) (i) Bydd cysgod Meilyr yn ffurfio cyn gynted ag y daw'r golau ymlaen. Beth y mae hyn yn ei ddweud wrthoch chi am fuanedd golau?

1 marc

____

(ii) Edrychwch ar y diagram uchod. A fydd cysgod pen Meilyr yn gorffen wrth A, B, C neu D?

1 marc

____

(iii) Beth fydd yn digwydd i faint cysgod Meilyr wrth iddo gerdded tuag at y tŷ?

1 marc

Dewiswch yr ateb cywir.

Bydd yn mynd yn llai. A

Bydd yn aros yr un faint. B

Bydd yn mynd yn fwy. 

(b) Y tu mewn i'r golau mae'r bwlb yn ffitio ar arwyneb crwm:

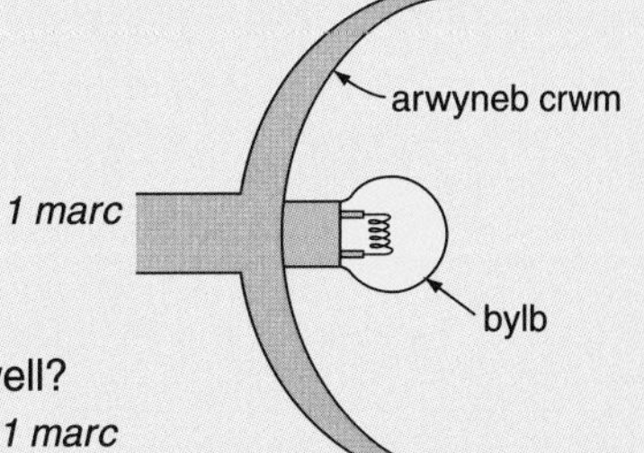

(i) Pa edrychiad fyddai i'r arwyneb crwm?

1 marc

____

(ii) Sut y mae'r arwyneb crwm yn helpu'r golau i weithio'n well?

1 marc

____

uchafswm 5 marc

16 Papur B Lefelau 5–7

1. Mae golau'r haul yn cael ei ddisgrifio'n olau gwyn. Mae'n gymysgedd o liwiau, fodd bynnag. Gall prism gael ei ddefnyddio i wahanu'r lliwiau hyn.

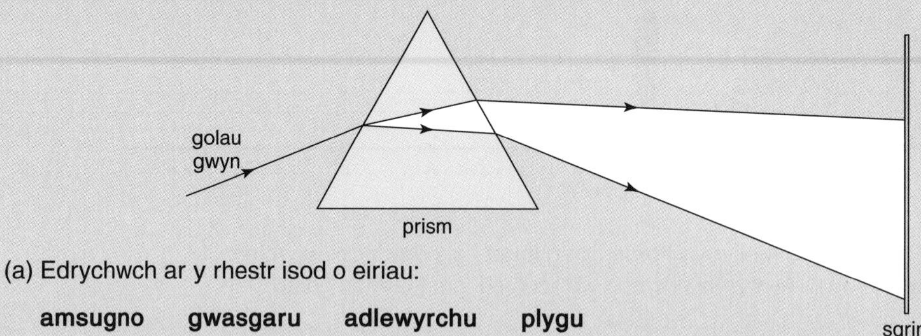

(a) Edrychwch ar y rhestr isod o eiriau:

amsugno **gwasgaru** **adlewyrchu** **plygu**

O'r geiriau hyn, pa **un** sy'n disgrifio orau beth fydd yn digwydd pan fydd golau gwyn yn cael ei wasgaru'n wahanol liwiau. *1 marc*

(b) Ysgrifennwch y llythyren G ar y sgrin lle byddech yn disgwyl gweld golau gwyrdd. *1 marc*

(c) (i) Eglurwch pam y mae dail yn edrych yn wyrdd mewn golau gwyn.

1 marc

(ii) Pa liw fyddai dail mewn golau coch?

1 marc

(d) Eglurwch pam y mae golau gwyn yn edrych yn wyrdd ar ôl iddo fynd drwy hidlydd gwyrdd.

1 marc

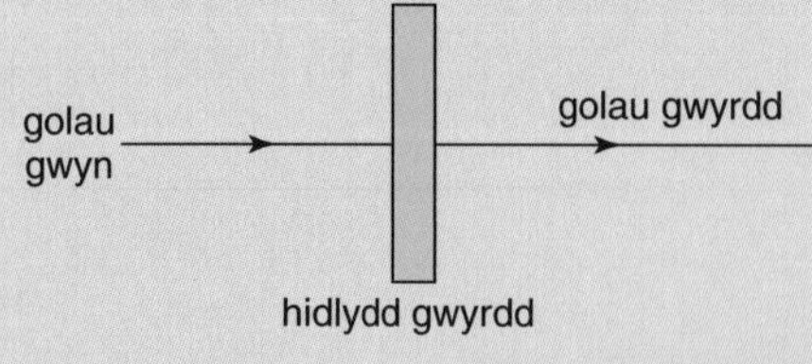

uchafswm 5 marc

2. (a) Mae gan Catrin gamera. Mae dau ddrych yn ffenestr y camera. Mae'r drych gwaelod yn codi i ddinoethi'r ffilm pan fydd Catrin yn cymryd llun. Mae Catrin am dynnu llun aderyn.

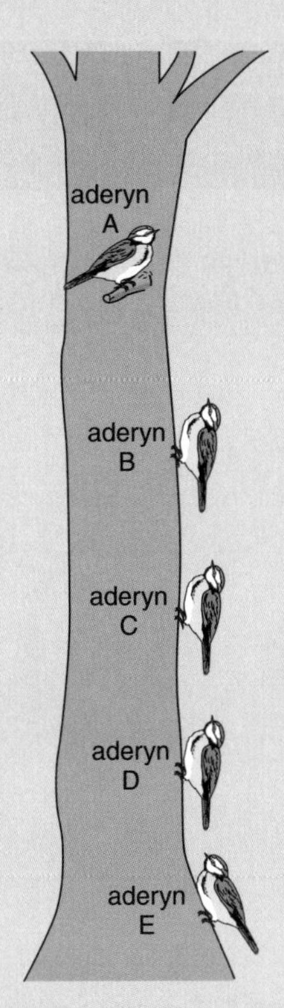

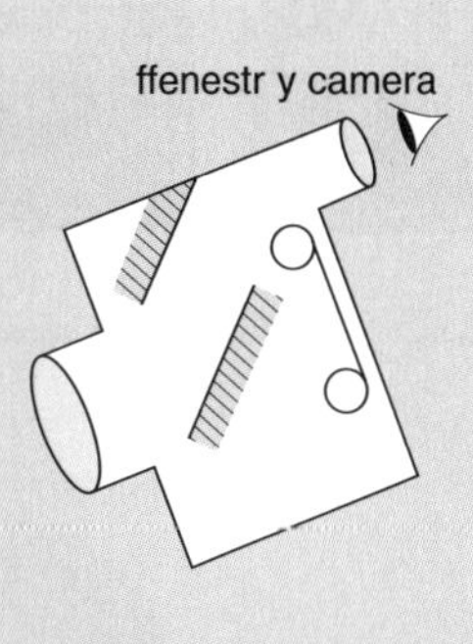

(i) Pa aderyn y gall ei weld yng nghanol y ffenestr?

1 marc

______

(ii) Defnyddiwch bren mesur i dynnu llwybr y pelydryn golau i ddangos sut y bydd golau o'r aderyn yn cyrraedd llygad Catrin.

2 farc

(iii) Sut y dylai Catrin symud y camera i weld Aderyn E yn y ffenestr?

1 marc

______

(b) Pan fydd Catrin yn tynnu llun bydd golau yn mynd drwy'r lens ac yn ffocysu ar y ffilm.

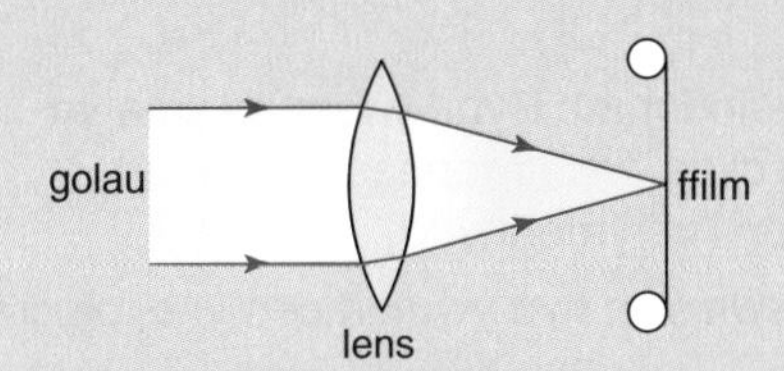

O'r geiriau isod, pa **un** sy'n disgrifio orau yr hyn sy'n digwydd i'r golau wrth iddo fynd drwy'r lens?

1 marc

adlewyrchu	A
gwasgaru	B
plygu	C
amsugno	D

uchafswm 5 marc

Sain

Gwybodaeth hanfodol

- Mae sain yn teithio ar fuanedd o ryw 330 metr yr eiliad (mewn aer). Mae golau yn teithio lawer yn gyflymach na hyn.
- Buanedd cyfartalog = $\frac{\text{y pellter a deithiwyd}}{\text{yr amser a gymerwyd}}$
- Mae sain yn cael ei greu gan ddirgryniadau.
- Os bydd tant gitar yn dirgrynu bydd yn cynhyrchu seindonau. Bydd y tonnau yma yn teithio drwy'r aer i'ch clust. Trosglwyddant egni i'ch clust. Mae'r tonnau'n gwneud i dympan y glust ddirgrynu. Hyn sy'n gyrru negeseuon i'ch ymennydd.
- Dydy sain ddim yn gallu teithio drwy wactod. Y rheswm am hyn yw nad oes yno foleciwlau i basio'r dirgryniadau ymlaen.
- Gallwch ddefnyddio microffon a CRO (osgilosgop) i gymharu seindonau.
- Mae osgled (o) mawr i sain gref: Caiff cryfder sain ei fesur mewn desibelau (dB). Caiff eich clust ei niweidio'n hawdd gan seiniau cryf.
- Mae amledd uchel i sain â thraw uchel: Caiff yr amledd ei fesur mewn herts (Hz). Mae amrediad yr amleddau all gael ei glywed yn amrywio rhwng unigolion.

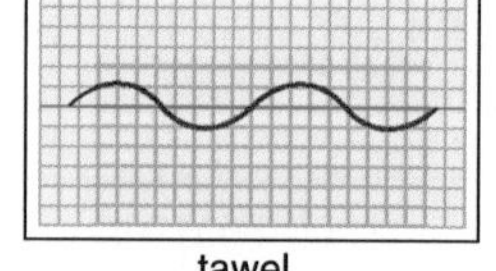

tawel

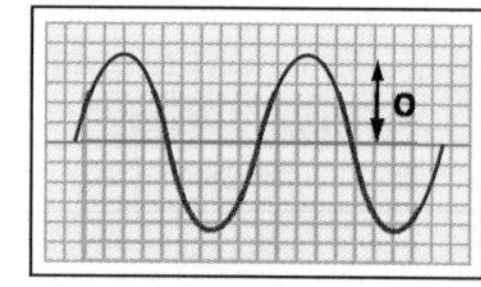

cryf

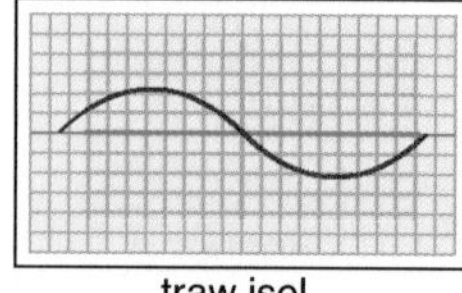

traw isel

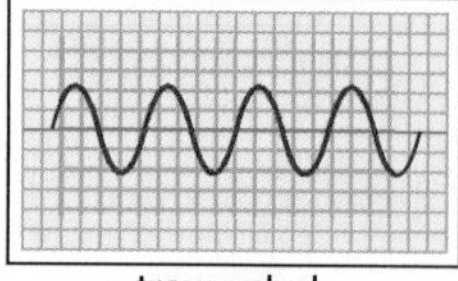

traw uchel

Geiriau Defnyddiol

seindon egni dirgryniad

osgled tympan y glust

gwactod amledd herts

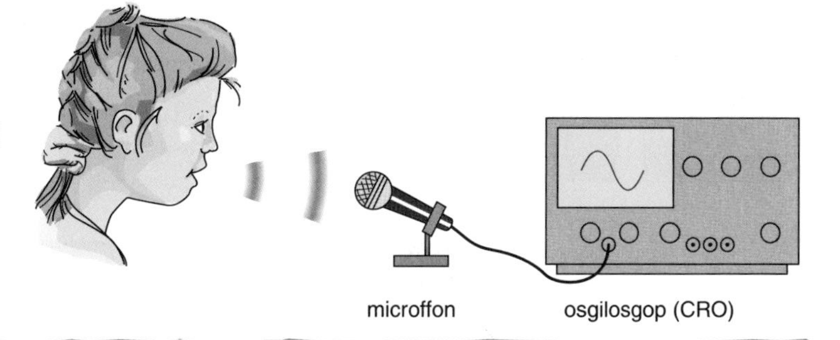

Prawf Cyflym

- Gall ____________[1] deithio drwy solidau, hylifau a nwyon, ond ni all deithio drwy ____________[2].

- Bydd ____________[3] tant gitar yn anfon ____________[4] drwy'r aer. Bydd y seindon yma yn trosglwyddo ____________[5] i ____________[6].

- Mae ____________[7] mawr i sain gref. Mae iddo fwy o ____________[8] na sain dawel.
  Mae ____________[9] isel i sain â thraw isel.
  Caiff yr ____________[10] ei fesur mewn ________[11] Hz.

- Mae sain yn teithio yn fwy *cyflym/araf*[12] na golau.
  Dyma'r rheswm y gwelwn y fellten *cyn/ar ôl*[13] y daran.
  Buanedd sain yw 330 m/s. Faint o bellter y bydd wedi teithio mewn 10 eiliad? ________[14] metr.
  Os bydd mellten 660 m i ffwrdd, disgrifiwch beth fyddech chi'n ei weld. ____[15]

- Yn y diagramau gyferbyn:
  a) Pa un sydd â'r osgled mwyaf? ______[16]
  b) Pa un sydd â'r amledd uchaf? ______[17]
  c) Pa un sydd â'r sain dawelaf? ______[18]
  d) Pa sain sydd â'r traw isaf? ______[19]
  e) Pa ddau sydd â'r un amledd? ________[20]

A B C D

17 Papur A Lefelau 3 - 6

1. Mae Siôn mewn cyngerdd pop. Daw'r sain mae'n ei chlywed o'r uchelseinyddion ar y llwyfan.

(a) (i) Sut y bydd y sain yn mynd o'r uchelseinyddion i glustiau Siôn?

1 marc

____

(ii) Pa ran o glust Siôn fydd yn canfod y sain?

1 marc

____

(b) Beth mae'r uchelseinyddion yn ei wneud i gynhyrchu'r sain?

Dewiswch yr ateb cywir.

chwythu	A
fflachio	B
troelli	C
dirgrynu	D

1 marc

(c) Mae Siôn yn symud o gefn y neuadd i fynd yn nes at y llwyfan.

(i) Wrth i Siôn nesáu at y llwyfan, sut y bydd **cryfder** y gerddoriaeth yn swnio iddo?

1 marc

____

(ii) Wrth i Siôn nesáu at y llwyfan, sut y bydd **traw** y gerddoriaeth yn swnio iddo?

1 marc

____

uchafswm 5 marc

2. (a) Cwblhewch y frawddeg ganlynol.

1 marc

Caiff sain ei chynhyrchu pan fydd gwrthrych yn ______________________________ .

(b) Sioned sy'n cychwyn y ras ym mabolgampau'r ysgol. Mae'n tanio dryll sy'n gwneud swn 'bang' uchel ar ddechrau pob ras.

Wrth ochr y cae mae wal frics uchel.

(i) Bob tro y bydd Sioned yn tanio'r dryll bydd yn clywed atsain y bang ychydig wedyn. Pam y mae hyn yn digwydd?

1 marc

____

____

(ii) Pam y mae'n bwysig i Sioned ddal y dryll hyd braich pan gaiff ei danio?

1 marc

____

(c) Amrediad clywadwy unigolyn yw amrediad y seiniau â thraw gwahanol y gallant eu clywed.

(i) Beth fydd yn digwydd yn aml i amrediad clywadwy pobl wrth iddynt fynd yn hŷn?

1 marc

____

(ii) Pan fydd ystlumod yn hedfan byddant yn cynhyrchu seindonau. Dydy pobl, fodd bynnag, ddim yn gallu clywed y seindonau sy'n cael eu cynhyrchu gan ystlumod. Awgrymwch reswm pam.

1 marc

____

____

uchafswm 5 marc

17 Papur B Lefelau 5–7

1. (a) Pa **un** o'r datganiadau canlynol am seindonau sy'n **wir**?

1 marc

- dydy seindonau ddim yn gallu teithio drwy wactod — **A**
- mae seindonau yn teithio'n fwy cyflym na thonnau golau — **C**
- dydy seindonau ddim yn gallu cael eu hadlewyrchu — **B**
- dydy seindonau ddim yn gallu teithio drwy ddŵr — **D**

(b) Trychfilod (clêr) yw pryfed. Byddant yn gwneud sŵn suo â'u hadenydd. Bydd gwahanol fathau o bryfed yn gwneud gwahanol sŵn.

Defnyddiodd Carol osgilosgop i gofnodi'r sain a wnaed gan bedwar math gwahanol o bryfed. Dyma ei chanlyniadau. Cafodd yr osgilosgop ei osod yr un fath bob tro.

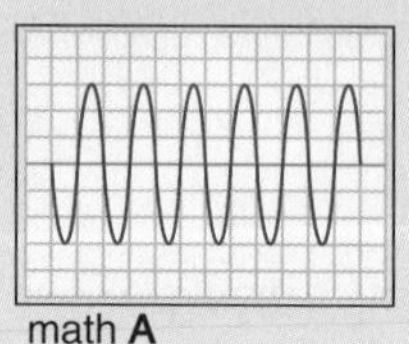

math **A**

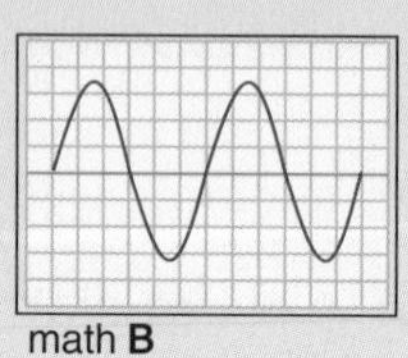

math **B**

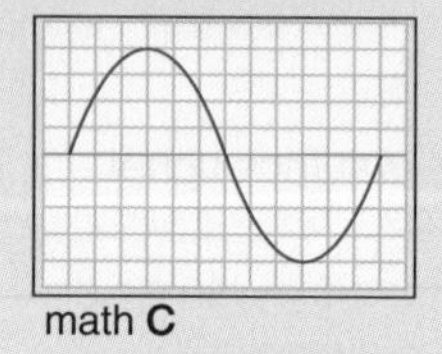

math **C**

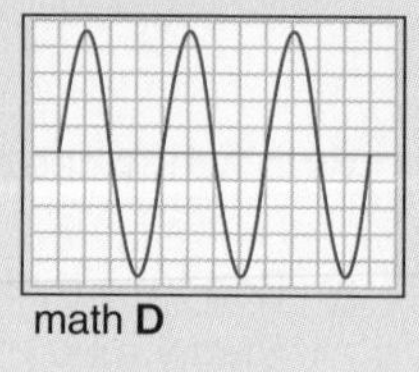

math **D**

(i) Eglurwch sut y mae'r canlyniadau yn dangos bod y pryfed yn cynhyrchu sain â gwahanol draw.

1 marc

____

____

(ii) Eglurwch sut y mae'r canlyniadau yn dangos bod cryfder y sain a gâi ei gynhyrchu gan y pryfed yn wahanol.

1 marc

____

____

(c) Cofnododd Carol y sain a wnaed gan bryfyn arall:

(i) I ba fath, **A, B, C** neu **D** y mae'n perthyn? ________

1 marc

(ii) Eglurwch eich ateb.

1 marc

____

____

uchafswm 5 marc

2. Safai Ben yn gwylio'r storm drwy ffenestr.

Gan ddefnyddio ei watsh, mesurodd Ben bump eiliad rhwng gweld y fellten a chlywed y daran.

(a) (i) Pa effaith a gafodd sŵn y daran ar dympan clust Ben?

1 marc

____

(ii) Pam y gwelodd Ben y fellten cyn clywed y daran?

1 marc

____

____

(iii) Mae seindonau yn teithio tuag un cilometr bob tair eiliad.
Pa mor bell oedd y storm o dŷ Ben?

1 marc

____

____

(b) Daeth y storm yn nes at dŷ Ben.

(i) Sut y gwnaeth **osgled** sŵn y daran newid, os newidiodd o gwbl?

1 marc

____

(ii) Sut y gwnaeth **amledd** sŵn y daran newid, os newidiodd o gwbl?

1 marc

____

uchafswm 5 marc

18 Grymoedd

Mae angen grym – gwthiad neu dyniad – ar bopeth rydych chi'n ei wneud. Gall grym newid buanedd gwrthrych ac achosi iddo droi. Gall weithredu gwasgedd hefyd.

Gwybodaeth hanfodol

- Gwthiadau neu dyniadau yw grym. Cânt eu mesur mewn newtonau (N). Grym sy'n ceisio arafu symudiad yw ffrithiant. Gall llilinio'r gwrthrych arwain at leihau gwrthiant aer. Grym yw pwysau. Dyma dyniad disgyrchiant y Ddaear tuag i lawr.
- Os yw 2 rym ar wrthrych yn hafal a dirgroes, dywedwn eu bod yn rymoedd *cytbwys*. Yn yr achos yma does yna ddim grym cydeffaith. Pan yw'r grymoedd yn gytbwys yna ni fydd unrhyw newid yn symudiad y gwrthrych (bydd yn aros yn ei unfan neu'n dal i symud ar fuanedd cyson).

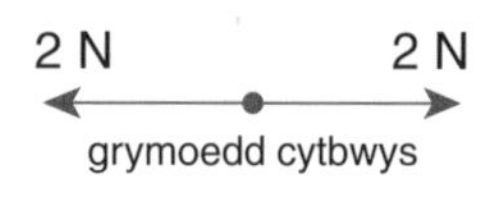

- Os nad yw'r grymoedd ar wrthrych yn gytbwys yna y mae grym cydeffaith. Y grym cydeffaith yma sy'n achosi i wrthrych gyflymu, neu arafu, neu newid cyfeiriad.
- Gall buanedd car gael ei fesur mewn metrau yr eiliad neu mewn cilometrau yr awr.

  Dyma'r fformiwla: Buanedd cyfartalog = $\dfrac{\text{y pellter a deithiwyd}}{\text{yr amser a gymerwyd}}$

- Mae sawl defnydd gwahanol i liferi. Mae sbaner hir yn haws i'w droi na sbaner byr.
  Mae moment (neu effaith troi) grym = grym x pellter y grym o'r colyn.
  Yn ôl egwyddor (neu ddeddf) momentau:

  Mewn ecwilibriwm, mae'r momentau gwrth-glocwedd = y momentau clocwedd

- Mae gwasgedd yn cael ei fesur mewn N/cm^2 neu N/m^2 (enw arall amdano yw pascal, Pa).

  Dyma'r fformiwla: Gwasgedd = $\dfrac{\text{grym}}{\text{arwynebedd}}$ (mewn newtonau) / (mewn cm^2 neu m^2)

Geiriau Defnyddiol

newtonau disgyrchiant

cytbwys cydeffaith

grym llilinio

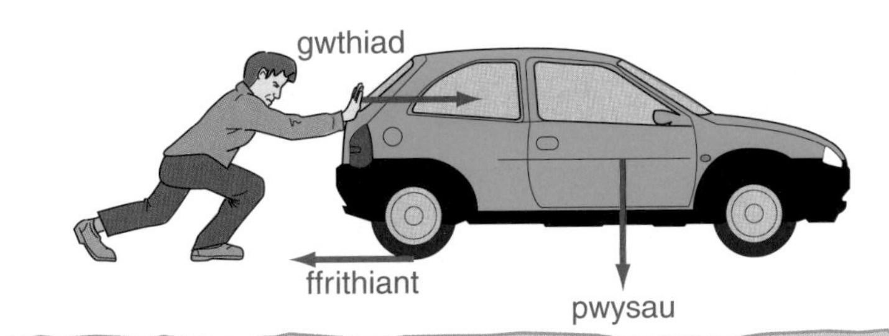

Prawf Cyflym ....

- Pwysau yw grym ____________[1]. Mae'n cael ei fesur mewn ________[2].
  Ffrithiant yw __________[3] sydd bob amser yn *helpu/atal*[4] symudiad gwrthrych.
  Gall gwrthiant aer gael ei leihau drwy ____________[5] y gwrthrych.

- Yn y diagram, mae 2 rym yn gweithredu ar floc o bren.
  Dyma rymoedd ____________[6] felly nid oes grym ____________[7].
  Os yw gwrthrych yn aros yn ei unfan, bydd yn *dal i aros yn ei unfan/dechrau symud*[8].

4 N 4 N

- Yn y diagram nesaf, nid yw'r grymoedd yn __________[9] ac mae grym ______________[10] o ______[11] newton.
  Bydd y bloc yn symud i'r *chwith/dde*[12]. Os yw'r bloc yn symud i'r gogledd, bydd y grym ffrithiannol arno yn gweithredu tua'r *gogledd/de*[13].

2 N 5 N

- Os yw car yn teithio 50 km mewn 2 awr, ei fuanedd fydd _____[14] km yr awr.
  Os yw beic yn symud 4 m/s am 2 eiliad, bydd yn teithio _____[15] metr.

- Yn y diagram, y moment sydd wedi'i weithredu gan y sbaner yw _____[16] N-cm.

10 N

20 cm

- Mae merch yn sefyll ar un goes. Arwynebedd ei throed sy'n cyffwrdd y llawr yw 200 cm^2 a'i phwysau yw 600 N.
  Pa wasgedd mae'n ei weithredu ar y llawr? ________[17] N/cm^2.

18 Papur A Lefelau 3 – 6

1. Mae gleider wedi'i glymu wrth awyren gan raff. Mae'r awyren yn tynnu'r gleider er mwyn ei godi i'r awyr.

(a) Cyn iddo godi i'r awyr mae brêc y gleider ymlaen. Nid yw'n symud. Mae'r rhaff wedi'i thynnu'n dynn.

(i) Mae grym ffrithiant yn atal y gleider rhag symud.
I ba gyfeiriad y mae grym y ffrithiant yn gweithredu?

1 marc

____

(ii) Mae'r awyren yn tynnu â grym o 8000 N.
O'r opsiynau isod beth yw maint grym y ffrithiant sy'n gweithredu ar y gleider? *1 marc*

0 N (sero) [A] 8000 N [C]

rhwng 0 N a 8000 N [B] mwy na 8000 N [D]

(b) Pan fydd brêc y gleider i ffwrdd, bydd yr awyren yn tynnu'r gleider ymlaen.
Mae'r awyren yn tynnu â grym o 8000 N.
Wrth i'r gleider gyflymu, beth yw maint grym y ffrithiant? *1 marc*

0 N (sero) [A] 8000 N [C]

rhwng 0 N a 8000 N [B] mwy na 8000 N [D]

(c) Wrth i'r gleider symud ar hyd y rhedfa, bydd grym ar i fyny o'r aer yn gweithredu ar yr adenydd. Mae'r gleider yn pwyso 2000 N. Pa mor fawr y bydd yn rhaid i'r grym ar i fyny fod cyn y bydd y gleider yn codi i'r awyr?

1 marc

llai na 2000 N [A] 2000 N [B] mwy na 2000 N [C]

(d) Pan fydd y gleider wedi codi i'r awyr bydd y peilot yn rhyddhau'r rhaff. Bydd y gleider yn arafu. Eglurwch pam.

1 marc

____

____

uchafswm 5 marc

2. Mae Bethan yn mynd ar ei beic i'r ysgol. Mae'r graff yn dangos y pellter a deithiwyd ar wahanol adegau yn ystod y daith.

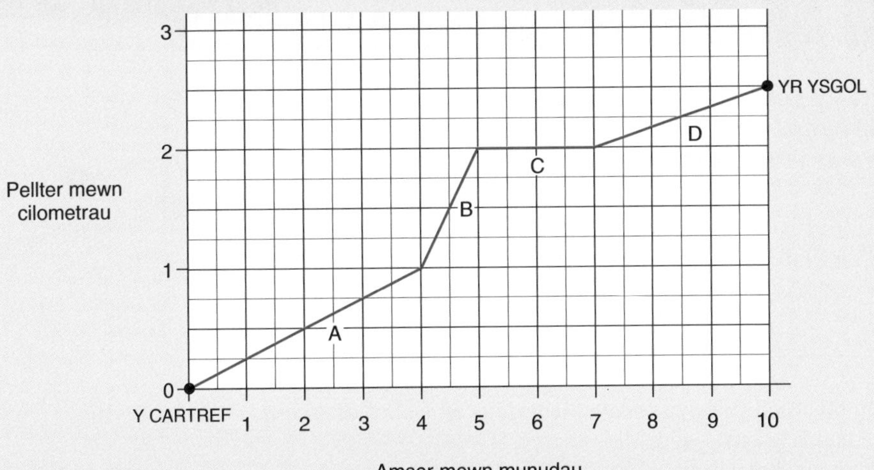

(a) Pa mor bell yw cartref Bethan o'r ysgol? ______________________ *1 marc*

(b) Yn ystod ei thaith, bydd Bethan yn mynd i lawr rhiw serth. Mae'n rhaid iddi aros hefyd wrth gyffordd. Ym mha ran o'r graff, A, B, C neu D, y bydd Bethan:

(i) yn mynd i lawr y rhiw serth? ________ *1 marc*

(ii) yn aros wrth y gyffordd? ________ *1 marc*

(c) Mae'r diagram yn dangos rhan o'r brêc ar handlen beic Bethan.

y cebl i'r brêc

lifer y brêc

colyn

20N

Mae Bethan yn tynnu'r lifer â grym o 20 N. Beth yw'r grym ar y cebl i'r brêc?

1 marc

Dewiswch yr ateb cywir.

llai na 20 N **A**   20 N **B**   mwy na 20 N **C**

(d) Nodwch **ddwy** ffordd y gallai Bethan gynyddu'r grym sy'n tynnu ar y cebl.

2 farc

1 ____

2 ____

uchafswm 6 marc

18 Papur B Lefelau 5–7

1. Thrust SSC oedd y car a oedd yn dal record y byd am deithio ar dir.
Mae'n gallu teithio'n gyflym iawn.

(a) Pam y mae siâp y car wedi'i lilinio?

1 marc

____

(b) Mae buanedd y car yn cael ei fesur drwy amseru faint o amser mae'n ei gymryd i deithio ar hyd cwrs syth.
Dyma fanylion y tri thro. Gorffennwch y tabl.

3 marc

tro	pellter a deithiwyd mewn m	amser a gymerwyd mewn eiliadau (s)	buanedd cyfartalog mewn m/s
1	1500	6.0	
2	1750		250
3		6.5	240

(c) Pam y mae'r gwerth yn y golofn ola yn fuanedd *cyfartalog*?

1 marc

____

____

(d) Ar ddiwedd pob tro mae parasiwt yn cael ei ryddhau o gefn y car.

Eglurwch effaith y parasiwt ar fudiant y car. *2 farc*

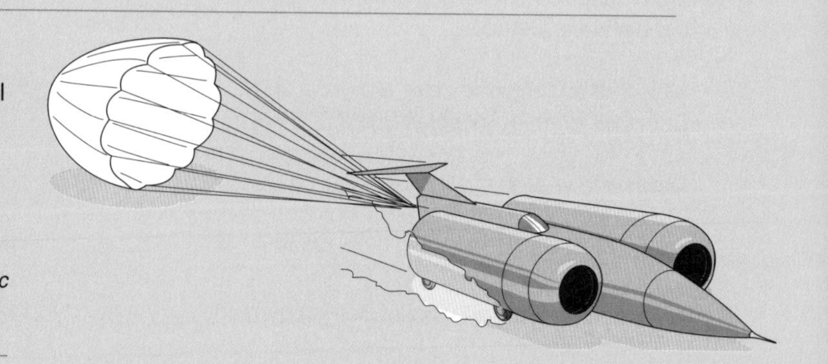

____

____

uchafswm 7 marc

2. Mae'r diagram isod yn dangos manylion tyllwr yn cael ei ddefnyddio i wneud tyllau mewn lledr. Pan fydd y ddolen yn cael ei thynnu i lawr bydd y pin yn cael ei yrru i mewn i'r lledr.

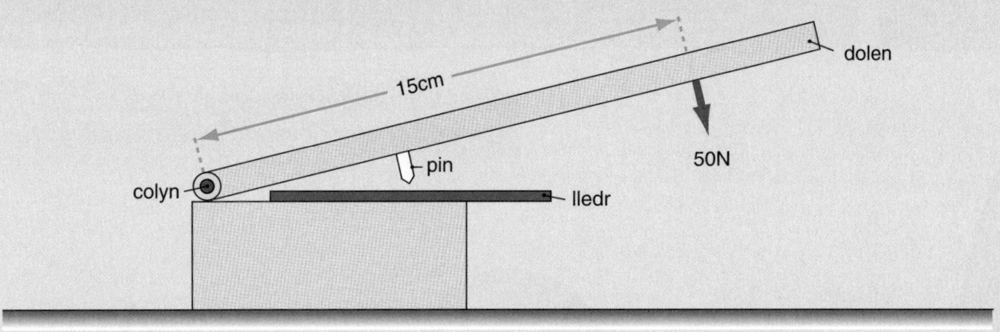

(a) Mae'r ddolen yn gweithredu moment, neu effaith troi, o gwmpas y colyn.

(i) Cyfrifwch faint y moment hwn (mewn N cm).

1 marc

______________________ N cm

(ii) Nodwch **ddwy** ffordd y gallai'r moment yma gael ei gynyddu.

2 farc

1 ______________________

2 ______________________

(b) Edrychwch ar y diagram ar gyfer rhan o'r tyllwr:

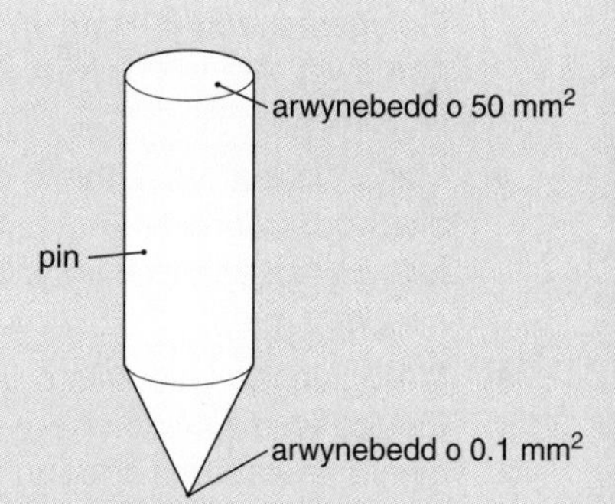

Mae'r pin yn cael ei wasgu i mewn i'r lledr â grym o 150 N.
Mae arwynebedd o 50 mm^2 i dop y pin.
Mae arwynebedd o 0.1 mm^2 i bigyn y pin.

(i) Beth yw maint y **grym** sy'n cael ei weithredu gan y pigyn ar y lledr?

1 marc

________ N

(ii) Cyfrifwch y **gwasgedd** sy'n cael ei weithredu gan bigyn y pin. Rhowch yr unedau.

2 farc

____

____

uchafswm 6 marc

19 Cysawd yr Haul

Mae ein planed brydferth ni, y Ddaear, yn un o 9 planed sy'n troi o gwmpas ein seren, yr Haul.

Yr Haul

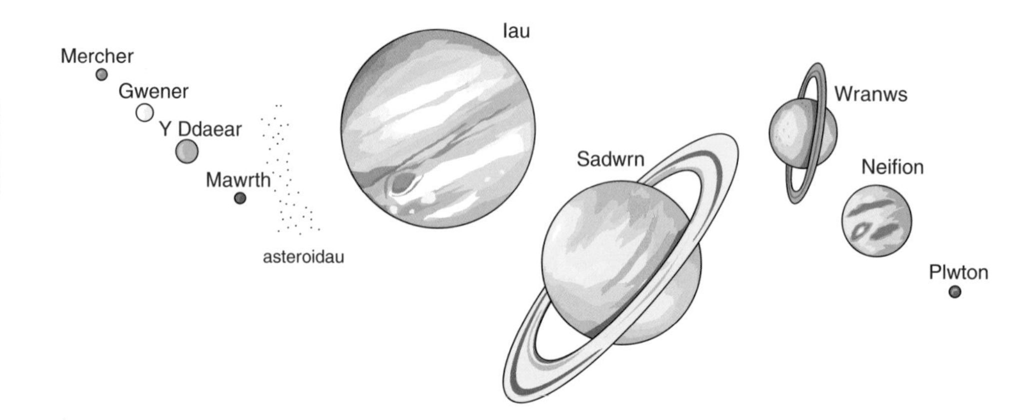

Gwybodaeth hanfodol

- Mae'r Ddaear yn troi ar ei hechelin unwaith bob 24 awr. Mae hyn yn cynrychioli un dydd. Golyga hyn fod yr Haul yn edrych fel petai yn codi yn y dwyrain ac yn machlud yn y gorllewin. Am yr un rheswm, mae sêr y nos yn edrych fel petaen nhw'n symud o'r dwyrain i'r gorllewin.
- Mae'r Ddaear yn teithio o gwmpas yr Haul mewn orbit ac yn cymryd blwyddyn ($365\frac{1}{4}$ diwrnod) i wneud hynny. Mae echelin y Ddaear ar ogwydd (ar ongl o $23\frac{1}{2}°$). Golyga hyn fod yr Haul yn uwch yn yr awyr yn yr haf ac felly bod y dydd yn hirach ac yn gynhesach nag yn y gaeaf.
- Mae'r Lleuad yn teithio o gwmpas y Ddaear ac yn cymryd un mis i gwblhau orbit. Mae'r Lleuad yn disgleirio oherwydd y golau haul sydd arni. Mae gwahanol weddau'r lleuad i'w gweld ar wahanol adegau yn y mis. Os caiff ei chuddio gan gysgod y Ddaear bydd diffyg ar y lleuad (eclips) yn digwydd.
- Seren yw'r Haul. Mae ganddo 9 planed yn troi o'i gwmpas. Mae'r diagram uchod yn dangos eu trefn a'u maint mewn cymhariaeth â'i gilydd (ond fe ddylent gael eu dangos lawer ymhellach oddi wrth ei gilydd).
- Grym disgyrchiant sy'n dal planed mewn orbit o gwmpas yr Haul. Elips yw siâp pob orbit.
- Mae'r Haul a'r sêr eraill yn boeth iawn a chynhyrchant eu golau eu hunain. Golau haul yn disgleirio ar y planedau a'u lleuadau sy'n gwneud iddyn nhw ddisgleirio.
- Gall lloerenni artiffisial a phrobau gofod gael eu lansio i archwilio'r Ddaear a Chysawd yr Haul.

Geiriau Defnyddiol

dwyrain gorllewin yr Haul

planed y Ddaear

orbit elips

disgyrchiant seren

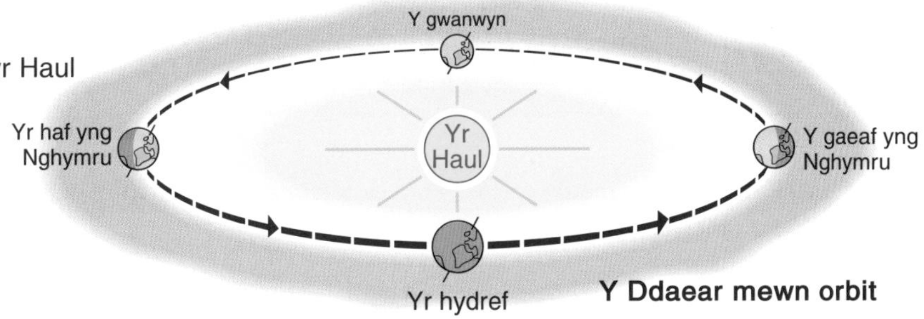

Y Ddaear mewn orbit

Prawf Cyflym

- Bob bore bydd yr Haul yn codi yn y ____________[1]. Bydd yn machlud yn y ____________[2]. Yn y nos bydd y sêr hefyd yn edrych fel petaen nhw'n symud o'r ____________[3] i'r ____________[4]. Y rheswm am hyn yw bod ________[5] yn troi.

- Mae'r Ddaear yn cymryd ______[6] diwrnod (______[7] awr) i droi unwaith ac mae'n cymryd __________[8] flwyddyn (________[9] diwrnod) i deithio unwaith o gwmpas yr Haul.

- Yn yr haf, bydd ein rhan ni o'r ____________[10] ar ogwydd tua'r ___________[11], felly bydd yr Haul yn edrych yn *uwch/is*[12] yn yr awyr a bydd y dydd yn *hirach/byrrach*[13] ac yn *gynhesach/oerach*[14].

- Mae _________[15] planed yn troi o gwmpas ____________[16]. Y mwyaf ohonynt yw ____________[17]. Y planed rhwng y Ddaear ac Iau yw ____________[18]. Y blaned oeraf yw ____________[19]. Y rheswm am hyn yw mai honno sydd bellaf o'r ____________[20].

- Dydy planedau ddim yn teithio mewn llinell syth ond mewn _________[21] (mewn siâp ________[22]). Y rheswm am hyn yw grym __________________[23] yr Haul sy'n tynnu arno.

- ____________[24] yw'r Haul sy'n cynhyrchu ei olau ei hun. Bydd ____________________[25] yn disgleirio o ganlyniad i olau haul yn disgleirio oddi arno, fel y Lleuad.

- Pan fydd lloeren yn mynd o gwmpas y Ddaear, caiff ei dal mewn ____________[26] gan dyniad ______________[27] y ____________[28].

19 Papur A Lefelau 3–6

1. (a) Faint o amser mae'n ei gymryd i'r Ddaear droi unwaith ar ei hechelin ei hun? *1 marc*

Dewiswch yr ateb cywir.

un diwrnod A un wythnos  un mis  un flwyddyn 

(b) Mae'r diagram yn dangos safle'r Haul ganol dydd ar Fehefin 21ain.

Tynnwch gylch ar y diagram i ddangos safle'r Haul:

(i) yn y bore. Rhowch y rhif 1 yn y cylch yma.

1 marc

(ii) ganol dydd ar Fawrth 21ain. Rhowch y rhif 2 yn y cylch yma.

1 marc

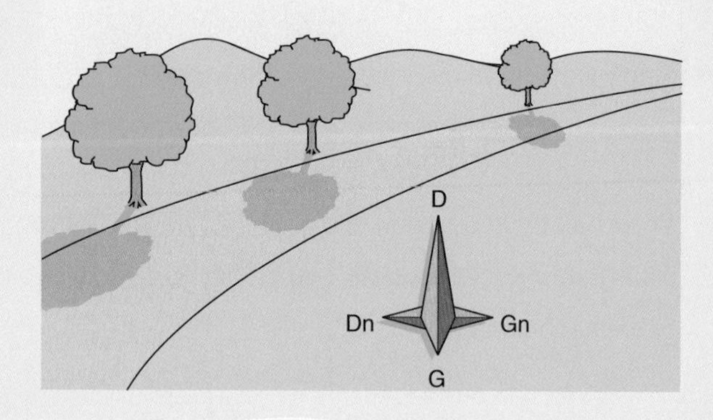

(c) Mae'r diagram isod yn dangos safle'r Ddaear ar Fehefin 21ain, a'i llwybr o gwmpas yr Haul.

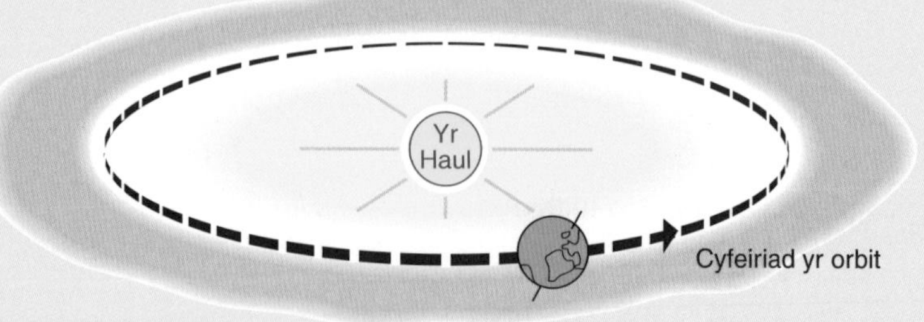

(i) Faint o amser mae'n ei gymryd i'r Ddaear gwblhau un orbit o gwmpas yr Haul?

1 marc

____

(ii) Tynnwch gylch i ddangos safle'r Ddaear ar Ragfyr 21ain. *1 marc*

uchafswm 5 marc

2. Mae'r diagram yn dangos safle'r Ddaear yng Nghysawd yr Haul.

B
Sadwrn
Yr Haul
A
Y Ddaear
(ddim wrth raddfa)

Y planedau eraill yng Nghysawd yr Haul:

Iau **Mawrth** **Mercher** **Neifion** **Plwton** **Wranws** **Gwener**

(a) Pa un fyddai:

(i) planed A ? ______________________

1 marc

(ii) planed B ? ______________________

1 marc

(b) Faint o amser mae'n ei gymryd i blaned B gwblhau un orbit o gwmpas yr Haul?

Dewiswch un ateb cywir.

Llai na blwyddyn Daear	A
Union flwyddyn Daear	B
Mwy na blwyddyn Daear	C

1 marc

(c) Dydy planedau ddim yn cynhyrchu golau ond fe allwn ni eu gweld nhw serch hynny. Eglurwch pam.

1 marc

____

(d) Pan edrychwn ar yr awyr, mae safle'r planedau yn newid o nos i nos. Mae'r diagramau yn dangos yr un rhan o'r awyr ar yr un adeg ar ddwy noson yn olynol.

Diagram A Diagram B

Mae un o'r gwrthrychau yn blaned. Rhowch gylch o amgylch y blaned. *1 marc*

uchafswm 5 marc

19 Papur B Lefelau 5–7

1. (a) Saif Iau rhwng dwy o'r planedau a restrwyd isod. Dewiswch yr ateb cywir. *1 marc*

Gwener a'r Ddaear	A	Mawrth a Sadwrn	C
Y Ddaear a Mawrth	B	Sadwrn ac Wranws	D

Mae sawl lleuad gan y blaned Iau. Io a Chalisto yw dwy ohonyn nhw. Maen nhw'n debyg o ran eu màs.

Iau
Io
Calisto

(b) Pa leuad sy'n cael ei thynnu tuag at Iau â'r grym mwyaf? Eglurwch eich ateb. *1 marc*

____

____

(c) Pa leuad sy'n symud o gwmpas Iau gyflymaf? Eglurwch eich ateb.

1 marc

____

____

(d) Yn 1995 aeth y lloeren artiffisial Galileo i mewn i atmosffer Iau. Wrth i'r lloeren nesáu at Iau, newidiodd y grym disgyrchiant oedd yn gweithredu arni. Disgrifiwch y newid.

1 marc

____

____

(e) Mae orbit Lleuad y Ddaear o gwmpas y Ddaear bron â bod yn gylch union. Mae gan Iau leuadau eraill, ar wahân i Io a Chalisto, yn troi o'i gwmpas. Awgrymwch pam nad yw orbit lleuadau Iau yn gylchoedd llyfn.

1 marc

____

____

uchafswm 5 marc

2. (a) Mae'r diagram yn dangos rhai o safleoedd y Ddaear mewn perthynas â'r Haul.

Pa rai o'r rhain sy'n dangos safle'r Ddaear:

(i) yn yr haf yng Nghymru? ________

1 marc

(ii) yn y gaeaf yng Nghymru? ________

1 marc

(b) Pam y mae'r tymheredd cyfartalog yng Nghymru yn uwch yn yr haf nag yn y gaeaf?

1 marc

____

____

(c) Mae Cysawd yr Haul wedi'i amgylchynu gan sêr pell:

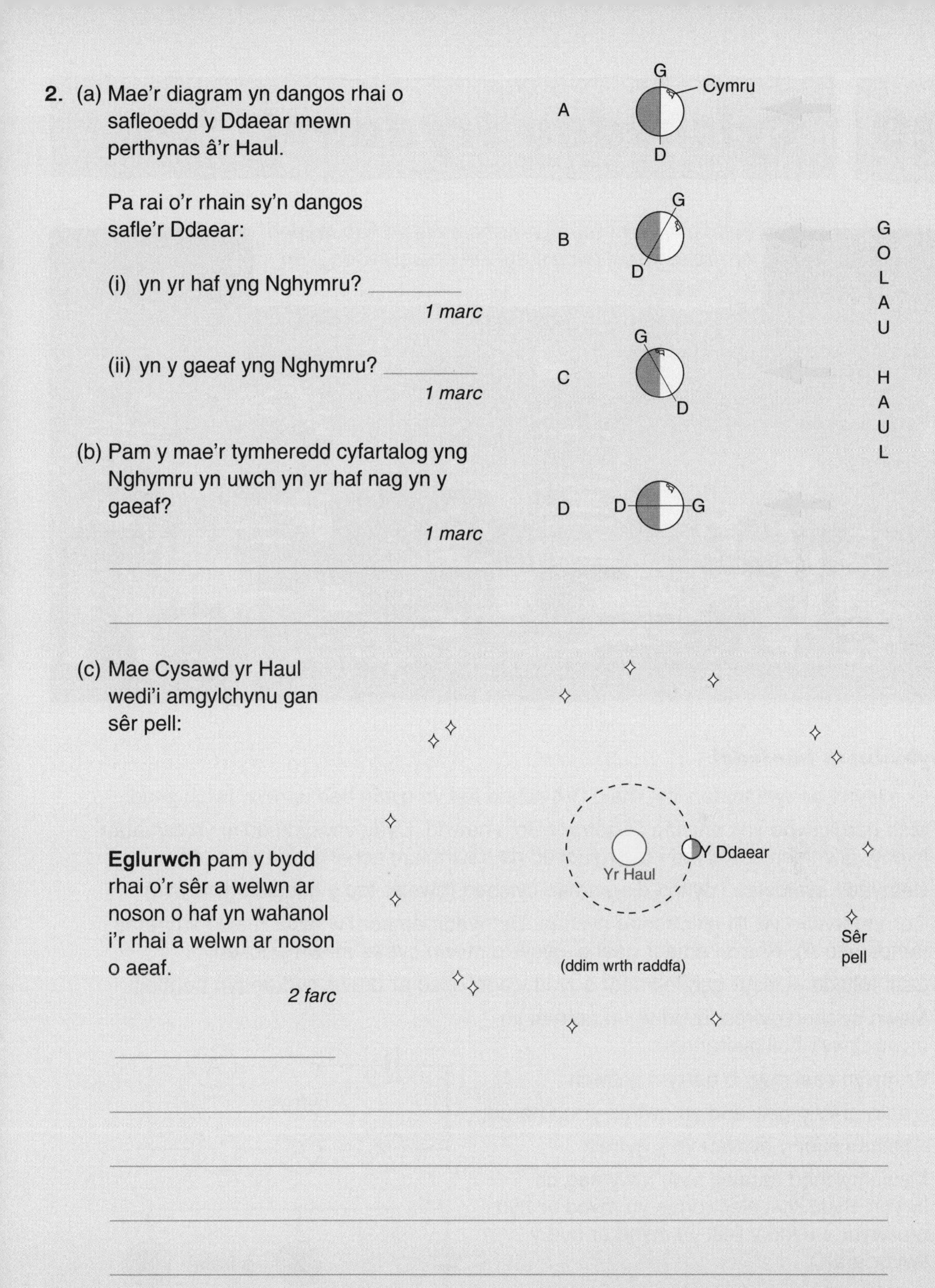

Eglurwch pam y bydd rhai o'r sêr a welwn ar noson o haf yn wahanol i'r rhai a welwn ar noson o aeaf.

2 farc

____

____

____

____

____

uchafswm 5 marc

20 Cylchedau trydanol

Byddai ein bywydau yn wahanol iawn heb drydan. Ar droad y switsh caiff egni ei drosglwyddo o un lle i'r llall.

Gwybodaeth hanfodol

- Er mwyn i gerrynt trydan lifo, rhaid i'r gylched fod yn gyfan heb unrhyw fwlch ynddi.
- Mae dargludydd yn caniatáu i'r gerrynt lifo'n hawdd. Dydy ynysydd ddim yn caniatáu hynny. Gwrthiant isel sydd i ddargludydd da. Gwrthiant uchel sydd i ynysydd.
- Defnyddir symbolau i dynnu diagramau cylched (gweler top y dudalen gyferbyn).
- Cerrynt trydan yw llif electronau bychan. Defnyddir amedr i'w fesur mewn amperau (amps neu A). Rhaid i amedr gael ei gysylltu mewn cyfres mewn cylched.
- Caiff foltedd ei fesur gan foltmedr a fydd wedi'i osod ar draws cydran (yn baralel).
- Mewn cylched gyfres, bydd yr un cerrynt yn mynd drwy'r holl gydrannau:
- Er mwyn cael mwy o gerrynt gallwch
  – adio mwy o gelloedd yn gwthio yr un ffordd,
  – lleihau nifer y bylbiau yn y gyfres.
- Mewn cylched baralel, mae mwy nag un llwybr. Bydd rhai electronau yn mynd ar hyd un llwybr a bydd y lleill yn mynd ar hyd y llwybr arall.
- Bydd y cerrynt trydan (llif electronau) yn trosglwyddo egni o'r gell i'r bylb.

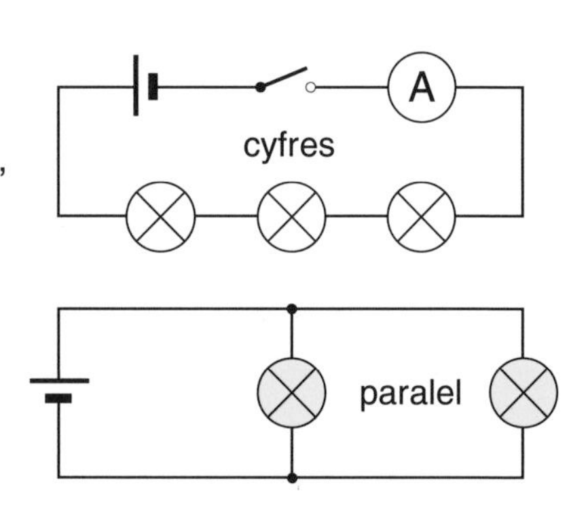

Geiriau Defnyddiol

dargludydd ynysydd

cerrynt cylched

cyfres paralel

symbolau cylched

2 gell (batri) | switsh | bylb | amedr | foltmedr

A

V

Prawf Cyflym

- Cyn y gall ________[1] trydan lifo, rhaid i'r ________[2] fod yn gyfan heb unrhyw fwlch ynddi.

Gall cerrynt lifo'n hawdd drwy ________________[3], ond nid drwy ________________[4].

Defnyddir ________________[5] i fesur cerrynt mewn ________________[6].

Defnyddir ________________[7] i fesur foltedd mewn ________________[8].

- Mewn cylched ________________________[9], mae'r ________________[10] yr un fath ym mhob rhan o'r gylched.

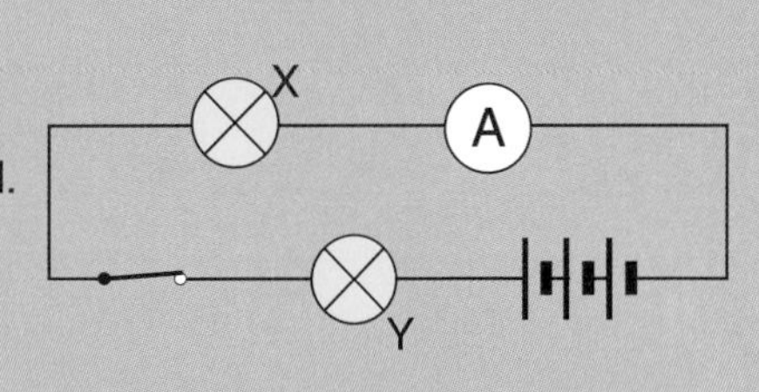

Yn y gylched a ddangosir yma, mae'r cydrannau i gyd mewn ________________________[11].

Os yw'r cerrynt drwy'r amedr yn 2A, beth yw'r cerrynt drwy fylb X? ____________[12]. Beth yw'r cerrynt drwy fylb Y? ____________[13]. Petaech chi'n lleihau nifer y bylbiau yn y gylched, byddai'r cerrynt yn *fwy/llai*[14]. Petaech chi'n lleihau nifer y celloedd, byddai'r cerrynt yn *fwy/llai*[15].

- Yn y gylched yma, ydy'r bylbiau mewn cyfres neu'n baralel?________________[16].

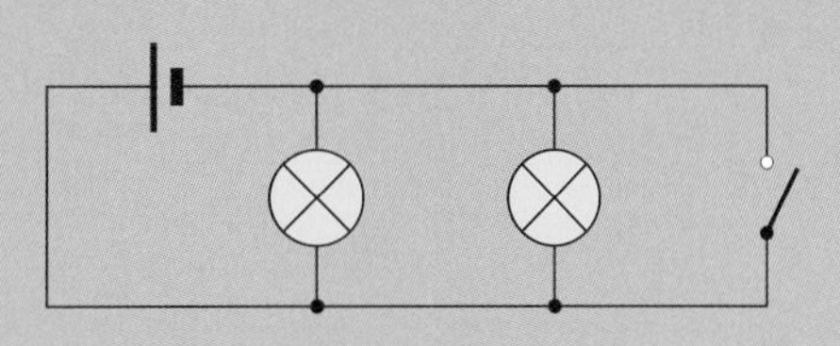

Mae'r ddau fylb wedi'u goleuo. Eglurwch beth fyddai'n digwydd pan fydd y switsh wedi cael ei gau.

____

____[17]

20 Papur A Lefelau 3–6

1. Mae Elin wedi defnyddio celloedd a bylbiau i wneud ychydig o gylchedau trydan:

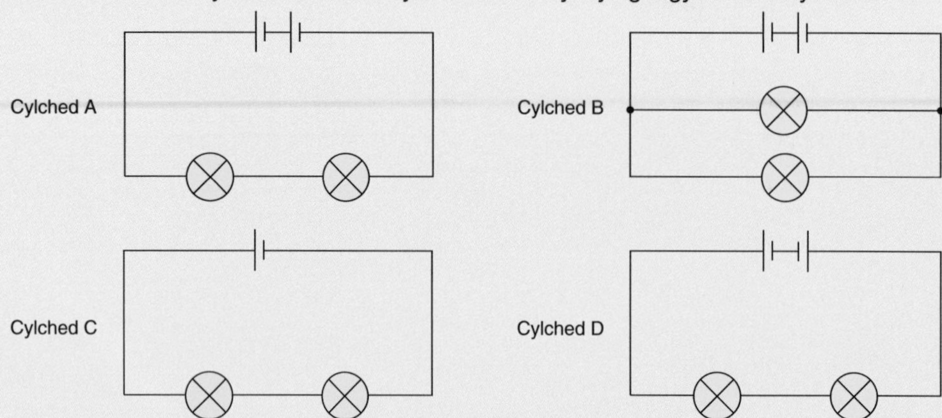

Yng nghylched A mae'r bylbiau wedi'u goleuo ond dydyn nhw ddim yn ddisglair iawn.

(a) Cymharwch ddisgleirdeb y bylbiau yng nghylchedau B, C a D a'r bylbiau yng nghylched A. Dewiswch eich ateb o'r rhestr isod. *3 marc*

wedi'u diffodd **yn llai disglair** **yr un fath** **yn fwy disglair**

(i) Yng nghylched B roedd y bylbiau ____________________

(ii) Yng nghylched C roedd y bylbiau ____________________

(iii) Yng nghylched D roedd y bylbiau ____________________

(b) Ym mha gylched, A, B, C neu D, y mae'r bylbiau wedi'u cysylltu yn baralel?

1 marc

____

(c) Mae Elin wedi rhoi rhai amedrau yn y gylched a ddangosir yma er mwyn mesur y cerrynt ar wahanol rannau o'r gylched.

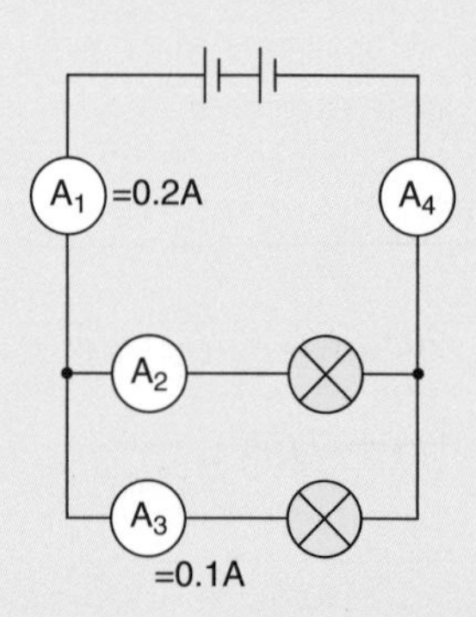

Faint o gerrynt a gafodd ei gofnodi gan A_2 ac A_4?
2 farc

A_2 = ____________ A_4 = ____________

uchafswm 6 marc

2. Mae Ayesha wedi gwneud cylched gan ddefnyddio bylb, swnyn a phedwar switsh. Ar ddechrau'r arbrawf mae pob un o'r switshis ar agor.

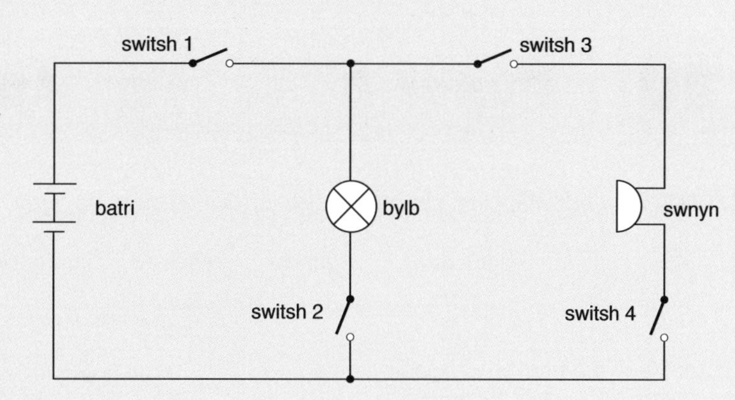

(a) Mae Ayesha yn cau'r switshis yn y drefn ganlynol: Switsh 1, 2, 3 ac yna 4.

Gorffennwch y brawddegau hyn:

(i) Bydd y bylb yn goleuo ar ôl cau switsh ______ . *1 marc*

(ii) Bydd y swnyn yn canu ar ôl cau switsh ______ . *1 marc*

(b) Cymerodd Ayesha un o'r celloedd allan o'r batri. Yna unodd y gylched unwaith eto:

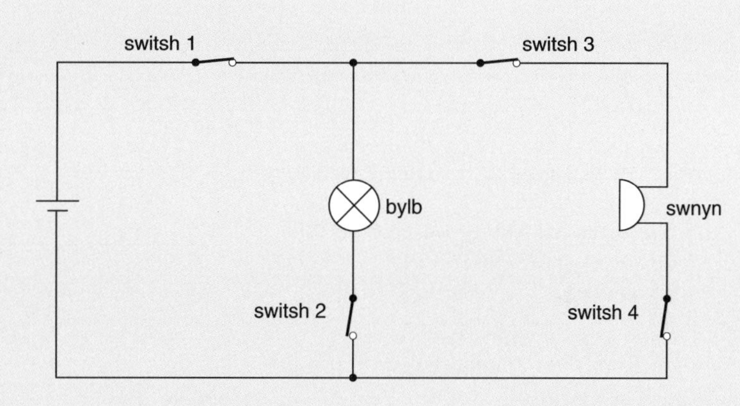

Pa effaith a gaiff hyn ar y canlynol, os caiff effaith o gwbl:

1 marc

(i) disgleirdeb y bylb? ______________________

1 marc

(ii) cryfder y sŵn? ______________________

(c) Mae Ayesha am fesur y cerrynt yn y swnyn. Mae'n rhoi amedr yn lle un o'r switshis.

Pa un o'r switshis allai ei newid am yr amedr?

1 marc

____

uchafswm 5 marc

Papur B — Lefelau 5 – 7

1. (a) Defnyddiwch un o'r geiriau canlynol i gwblhau'r frawddeg isod. *1 marc*

electronau **atomau** **celloedd** **moleciwlau**

Mae trydan yn cael ei gludo drwy ddargludydd gan ________________________

(b) Mae'r diagram yn dangos cylched:
Mae'r switsh yn agored.

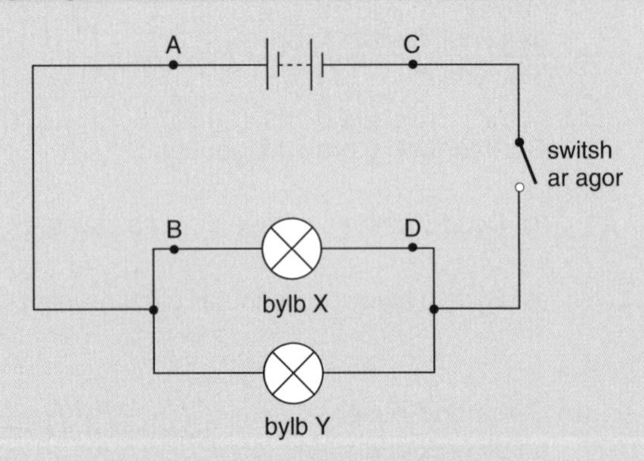

(i) Mae Chris yn cysylltu pwynt A wrth bwynt B â gwifren gopr drwchus. Pa fylbiau fydd yn goleuo, os bydd rhai'n goleuo o gwbl? *1 marc*

____

(ii) Mae Chris yn tynnu'r wifren gopr oddi yno ac yn ei defnyddio i gysylltu pwynt C wrth bwynt D. Pa fylbiau fydd yn goleuo, os bydd rhai'n goleuo o gwbl? *1 marc*

____

(c) Mae Chris yn tynnu'r wifren gopr oddi yno ac yn cau'r switsh. Mae'r ddau fylb yn goleuo.

Mae Chris yn defnyddio'r wifren i gysylltu pwynt B wrth bwynt D fel sydd yn y diagram:

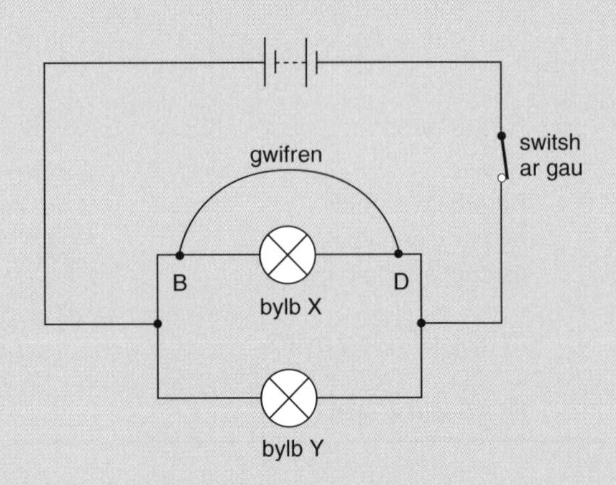

(i) Sut y bydd disgleirdeb pob bylb yn newid, os bydd yn newid o gwbl? *2 farc*

Bylb X

____

Bylb Y

____

(ii) Mae amedr yn cael ei roi yn lle'r switsh. Sut y byddai'r darlleniad ar yr amedr yn newid, os byddai'n newid o gwbl, pan gâi pwynt B ei gysylltu wrth bwynt D? *1 marc*

____

uchafswm 6 marc

2. (a) Mewn cylched mae dau fylb wedi'u cysylltu mewn cyfres.

Pa **un** o'r datganiadau canlynol am y cerrynt yn y gylched sy'n wir? *1 marc*

bylb X bylb Y

Mae'r cerrynt i gyd wedi'i ddefnyddio gan fylb X. **A**

Mae'r cerrynt i gyd wedi'i ddefnyddio gan fylb Y. **B**

Mae hanner y cerrynt wedi'i ddefnyddio gan fylb X a'r hanner arall gan fylb Y. **C**

Dydy'r cerrynt ddim wedi ei ddefnyddio gan y bylbiau. **D**

(b) Rhoddir dwy gell a thri bylb i chi er mwyn gwneud arbrawf. Yn y cylchedau y mae gofyn i chi eu gwneud, rhaid defnyddio'r holl gydrannau a rhaid i bob bylb gael ei oleuo. Tynnwch ddiagramau i ddangos sut y dylai'r cydrannau gael eu cysylltu fel y bydd:

(i) y tri bylb wedi'u goleuo mor ddisglair â phosib; *1 marc*

(ii) y tri bylb wedi'u goleuo mor isel â phosib; *1 marc*

(iii) un bylb wedi'i oleuo'n wahanol i'r ddau arall. *1 marc*

(c) Ym mha gylched, (b) (i) neu (b) (ii) fyddai'r bylbiau wedi'u goleuo hiraf? Eglurwch pam.

1 marc

____

____

uchafswm 5 marc

Magnetedd

Mae magnetau ac electromagnetau yn ddefnyddiol. Gall electromagnetau gael eu troi ymlaen ac i ffwrdd.

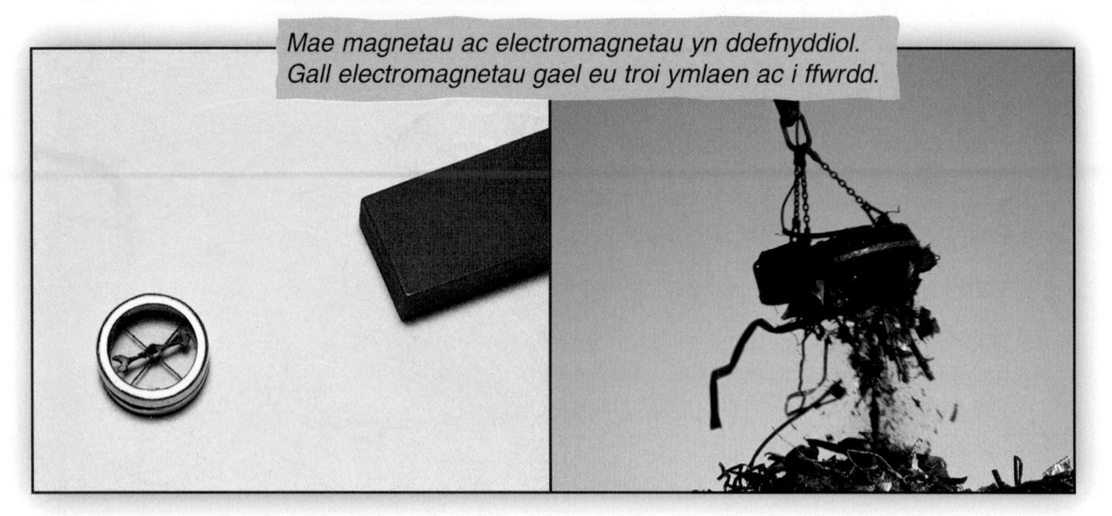

Gwybodaeth hanfodol

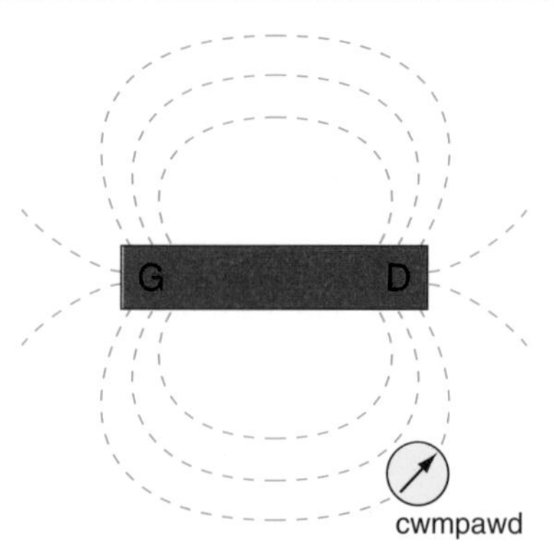

- Pôl gogledd y magnet yw'r enw ar y rhan o'r cwmpawd sy'n pwyntio i'r gogledd.
- Mae dau bôl gogledd (neu ddau bôl de) yn gwrthyrru ei gilydd.
- Mae pôl gogledd yn atynnu pôl de.
- Gall haearn a dur gael eu magneteiddio.
- Gallwch ddefnyddio naddion haearn (neu gwmpawd plotio bach) i ganfod siâp y maes magnetig o gwmpas bar magnet.
- Mae gan y Ddaear faes magnetig o'i chwmpas. Mae cwmpawd yn pwyntio ar hyd y maes.
- Mae cerrynt mewn coil yn cynhyrchu maes magnetig tebyg i far magnet. Dyma electromagnet (gweler y dudalen gyferbyn).
- Mae cryfder yr electromagnet yn dibynnu ar:
  (1) y cerrynt yn y coil,
  (2) nifer y troeon ar y coil, a
  (3) a oes craidd haearn iddo.
  Bydd cildroi'r cerrynt yn cildroi'r polau gogledd a de.
- Mewn relái, caiff cerrynt bychan yng nghoil electromagnet ei ddefnyddio i droi cerrynt mwy ymlaen.
- Mewn cloch drydan, caiff electromagnet ei ddefnyddio i atynnu bar haearn fel y bydd yn torri'r gylched dro ar ôl tro. Bydd y bar haearn yn dirgrynu yn gwneud i'r gloch ganu.

Geiriau Defnyddiol

cwmpawd haearn gwrthyrru atynnu

bar cerrynt cylched maes

magnet pôl gogledd pôl de craidd

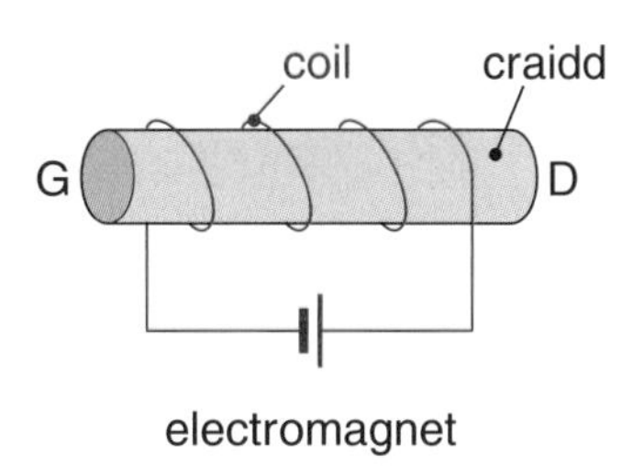

Prawf Cyflym

- Gall haearn a dur gael eu magneteiddio gan ____________[1] neu gan electromagnet. Bydd dau bôl gogledd yn ____________[2] ei gilydd. Bydd dau bôl de yn ____________[3] ei gilydd. Bydd pôl gogledd yn ____________[4] pôl de.

- Bydd siâp y maes magnetig o gwmpas electromagnet yr un fath yn union â'r maes o gwmpas magnet ____________[5]. Gallwn ddefnyddio naddion ____________[6] neu ____________[7] i ganfod y siâp.

- Gall electromagnet gael ei wneud yn gryfach drwy:
  – *gynyddu/lleihau'r*[8] cerrynt yn y coil,
  – *gynyddu/lleihau*[9] nifer y troeon ar y coil,
  – *ychwanegu/tynnu*[10] craidd haearn.

- Yn y diagram, mae bar haearn yn hongian o linyn, ger coil. Pan fydd switsh yn cael ei wasgu, bydd ____________[11] yn llifo o gwmpas y ____________[12], a bydd y coil yn troi'n ____________[13]. Bydd ganddo ________[14] magnetig o'i gwmpas yn awr. Bydd y maes yma yn gryfach os oes ________[15] haearn iddo. Bydd yr electromagnet yn awr yn ____________[16] y bar haearn a fydd yn taro'r gloch.

  Beth fydd yn digwydd pan fydd y switsh yn cael ei agor?

  ____

  ____[17]

llinyn
coil
bar haearn
cloch

1.

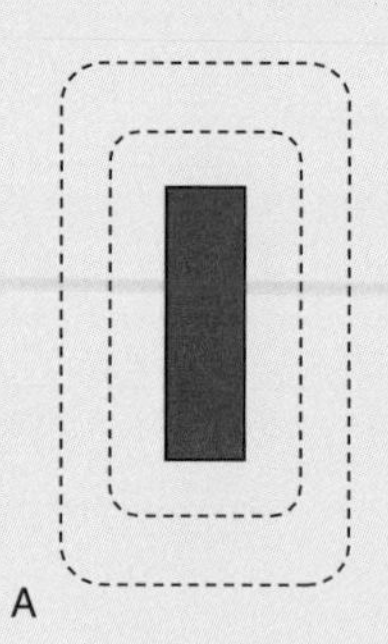

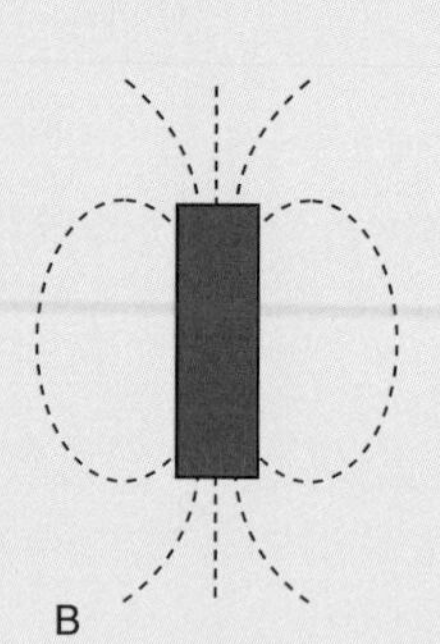

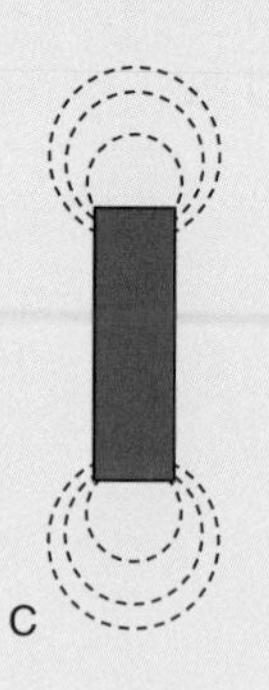

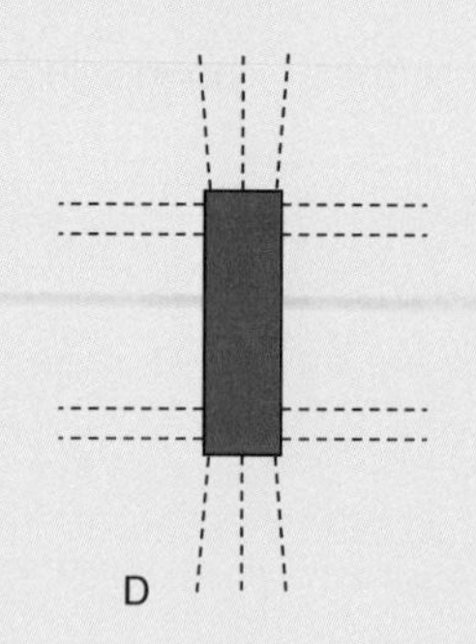

(a) Pa ddiagram sy'n dangos orau siâp y maes magnetig o gwmpas bar magnet? Dewiswch y llythyren gywir.

1 marc

(b) Defnyddiodd Lowri fagnet i godi bar metel. Roedd hoelen wedi glynu wrth ben arall y bar metel ym mhwynt Y, fel y gwelwch:

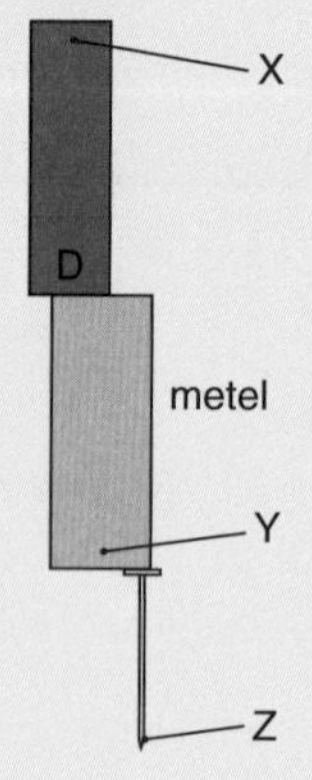

(i) O ba elfen y gallai'r bar metel fod wedi'i wneud?

1 marc

____

(ii) Beth yw'r polau magnetig ym mhwyntiau X, Y a Z? Mae pwynt X wedi'i wneud yn y tabl yn barod.

2 farc

pwynt	pôl gogledd	pôl de	dim pôl magnetig
X	✔		
Y			
Z			

(iii) Pan gymerodd Lowri y magnet i ffwrdd o'r bar metel fe ddisgynnodd yr hoelen. Eglurwch pam.

1 marc

____

____

uchafswm 5 marc

2. Mae gan Tom ddau far magnet. Mae'r polau wedi'u marcio ar un magnet, ond ddim ar y llall.

G

D

magnet A

magnet B

(a) Mae Tom am nodi'r ddau bôl ar fagnet B. Disgrifiwch arbrawf y gallai Tom ei wneud er mwyn darganfod lle mae'r ddau bôl gan ddefnyddio'r ddau fagnet yn unig.

2 farc

____

____

____

G

D

(b) Adeiladodd Tom gylched â switsh cyrs. Mae dwy gorsen haearn yn y switsh yma.

(i) Beth ddigwyddodd pan osododd Tom fagnet wrth ymyl y switsh cyrs?

1 marc

____

(ii) Eglurwch pam ddigwyddodd hyn.

1 marc

____

____

(c) Mae'r diagram yn dangos beth ddigwyddodd pan roddodd Tom goil o wifren yn cludo cerrynt o gwmpas switsh cyrs:

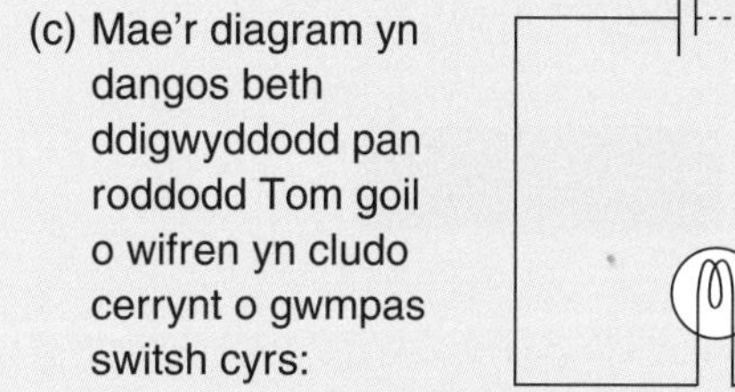

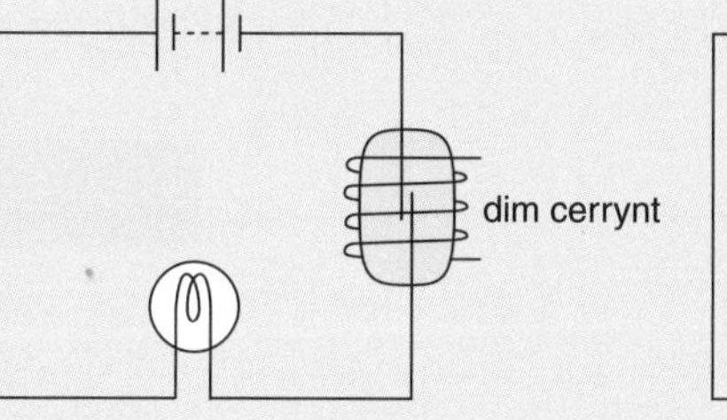

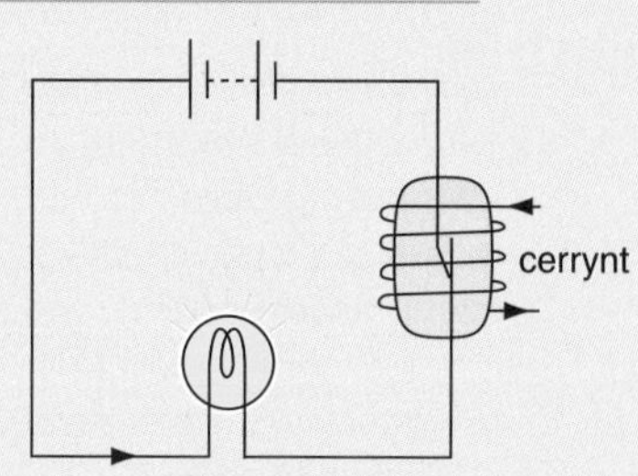

Eglurwch pam ddigwyddodd hyn.

1 marc

____

____

uchafswm 5 marc

Papur B Lefelau 5–7

1. (a) Mae gan Llyr dri bar haearn. Gallai pob un ohonynt fod yn far magnet.

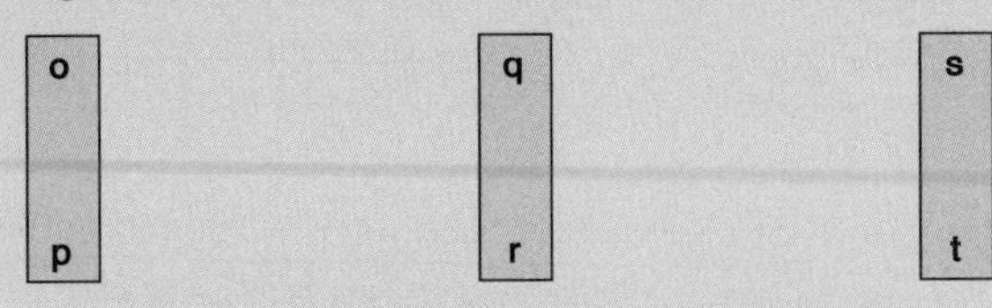

(i) Ar ôl gwneud ychydig o arbrofion gwelodd fod:

Pen **s** yn cael ei atynnu at ben **p**.
Pen **t** yn cael ei atynnu at ben **r**.
Pen **o** yn cael ei atynnu at ben **r**.
Pen **r** yn cael ei wrthyrru gan ben **s**.

Defnyddiwch ganlyniadau'r arbrofion hyn i benderfynu pa rai o'r barrau hyn sy'n fagnetau. Atebwch 'ydy' neu 'nac ydy' ar gyfer pob bar yn ei dro.

3 marc

bar	ydy e'n fagnet ?
o — p	
q — r	
s — t	

(ii) Awgrymwch ddull arall a allai helpu Llyr i benderfynu pa rai o'r barrau oedd yn fagnetig.

1 marc

(b) Mae Llyr yn defnyddio cwmpawd plotio i ddarganfod siâp y maes magnetig o gwmpas bar magnet. I ba gyfeiriad y bydd nodwydd y cwmpawd yn pwyntio ym mhob un o'r safleoedd a ddangoswyd? Mae un wedi'i wneud yn barod.

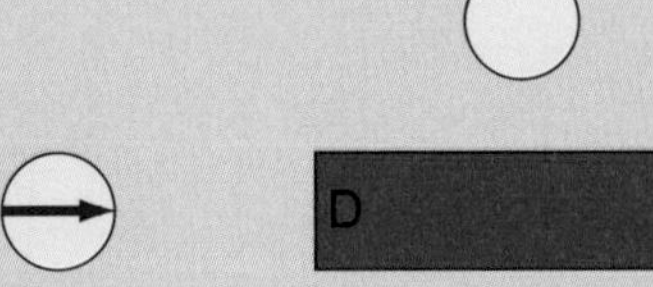

2 farc

(c) Pen pigfain nodwydd cwmpawd yw'r pôl gogledd magnetig. Mae bob amser yn pwyntio i'r gogledd. Beth mae hyn yn ei ddweud wrthoch chi am bolaredd magnetig Pegwn Gogledd y Ddaear?

1 marc

uchafswm 7 marc

2. Mae'r diagram yn dangos electromagnet. Cafodd ei wneud drwy lapio coil o wifren o gwmpas craidd haearn meddal.

(a) (i) Nodwch **un** ffordd y gallai cryfder yr electromagnet gael ei gynyddu.

1 marc

(ii) Disgrifiwch yn gryno arbrawf syml y gallech ei wneud i ddangos bod cryfder electromagnet wedi cynyddu.

1 marc

(b) Mae'r diagram yn dangos manylion switsh relái sy'n cynnwys electromagnet.

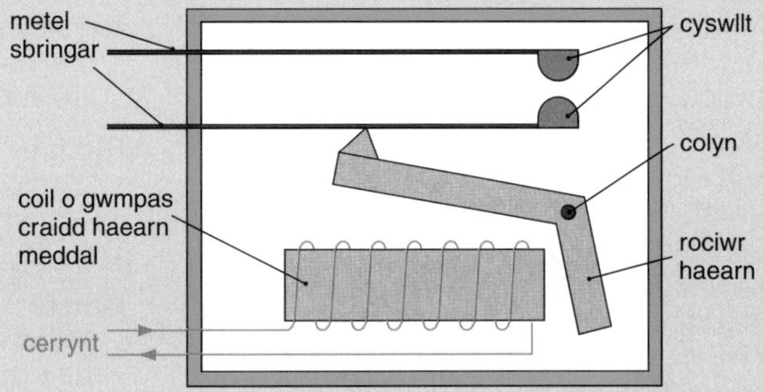

metel sbringar
cyswllt
colyn
coil o gwmpas craidd haearn meddal
rociwr haearn
cerrynt

(i) Beth fydd yn digwydd pan fydd cerrynt trydan yn mynd drwy'r coil?

1 marc

(ii) Pam y mae'r coil wedi'i lapio o gwmpas craidd haearn meddal?

1 marc

(iii) Eglurwch pam y mae haearn yn ddewis da fel defnydd ar gyfer y rociwr.

1 marc

uchafswm 5 marc

Geirfa

Addasiadau
Ymaddasiad sy'n helpu planhigyn neu anifail i oroesi newid yn eu hamodau byw.

Adnoddau egni adnewyddadwy
Ffynonellau egni sydd yno o hyd, e.e. egni solar, y gwynt, tonnau, y llanw ayb.

Adnoddau egni anadnewyddadwy
Ffynonellau egni fydd yn cael eu defnyddio heb gael eu hadnewyddu, e.e. tanwydd ffosil.

Adwaith
Newid cemegol sy'n arwain at greu sylwedd newydd.

adwaith
adweithyddion ➠ cynhyrchion

Alcali
Y cemegyn sy'n groes i asid. Bas sy'n hydoddi mewn dŵr. Bydd pH ei hydoddiant yn fwy na 7.

Amledd
Nifer y dirgryniadau cyflawn ym mhob eiliad. Mae traw uchel i sain ag amledd uchel.

Amrywiadau
Y gwahaniaethau rhwng *gwahanol* rywogaethau (e.e. rhwng cŵn a chathod), neu rhwng unigolion o'r *un* rhywogaeth (e.e. pobl yn eich dosbarth chi).

Amsugno
Pan fydd golau, sain neu ffurf arall ar egni yn cael ei sugno i mewn gan rywbeth arall, e.e. mae papur du yn amsugno egni golau.

Anfetel
Elfen nad yw'n dargludo trydan. (Yr eithriad yw graffit – ffurf ar garbon sy'n anfetel ond sydd hefyd yn ddargludydd).

Asid
Sylwedd sur sy'n gallu ymosod ar fetel, dillad neu'r croen. Dyma'r cemegyn sy'n groes i alcali. Pan fydd wedi'i hydoddi mewn dŵr bydd pH yr hydoddiant yn llai na 7.

Atom
Dyma ran leiaf elfen. Mae pob atom yn cynnwys protonau ac electronau.

Bacteria
Microbau bychan ag un gell yn unig sydd i'w gweld o dan ficrosgop yn unig. Gall bacteria dyfu'n gyflym a bydd rhai ohonynt yn achosi clefydau, e.e. llid yr ysgyfaint.

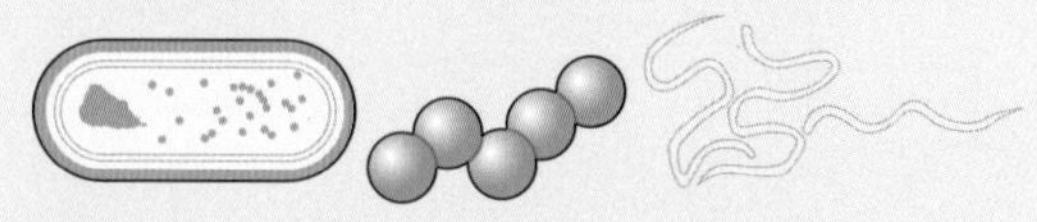

Bas
Ocsid, hydrocsid neu garbonad metel. (Os yw bas yn hydoddi mewn dŵr caiff ei alw'n *alcali*).

Berwbwynt
Y tymheredd lle bydd hylif yn berwi neu'n troi'n nwy.

Blodau
Yr organau y bydd llawer o blanhigion yn eu defnyddio i atgenhedlu drwy wneud hadau.

Braster
Bwyd a gaiff ei ddefnyddio fel storfa egni ac i ynysu ein cyrff fel y byddwn yn colli llai o wres.

Bridio detholus
Dewis pa anifeiliaid a phlanhigion i'w bridio er mwyn trosglwyddo nodweddion defnyddiol i'r epil, e.e. y gallu i gynhyrchu llawer o laeth.

Brych
Adeiledd sy'n ffurfio yn y groth sy'n caniatáu i waed y baban a gwaed y fam ddod yn agos at ei gilydd.

Buanedd
Pa mor gyflym y bydd gwrthrych yn symud.

$$\text{Buanedd} = \frac{\text{y pellter a deithiwyd}}{\text{yr amser a gymerwyd}}$$

Cadwyn fwyd
Diagram sy'n dangos sut mae egni bwyd yn cael ei drosglwyddo rhwng planhigion ac anifeiliaid.

Capilarïau
Pibellau gwaed bychan sy'n gadael i sylweddau tebyg i ocsigen, bwyd a charbon deuocsid fynd i mewn i'r gwaed ac allan ohono.

Carbohydradau
Dyma'r tanwydd ar gyfer eich corff. Bwyd tebyg i glwcos sy'n rhoi egni i chi.

Carthu
Bwyd sy'n amhosib ei dreulio yn cael ei waredu o'r coluddion.

Ceilliau
Y man lle caiff sbermau eu gwneud mewn dyn.

Cellbilen
Yr adeiledd sy'n amgylchynu cell ac sy'n rheoli beth sy'n mynd i mewn ac allan.

Cellfur
Haen gadarn y tu allan i gell planhigyn sy'n cynnal y planhigyn.

Celloedd
'Blociau adeiladu' bywyd. Maen nhw wedi'u gwneud o *gellbilen, cytoplasm* a *chnewyllyn.*

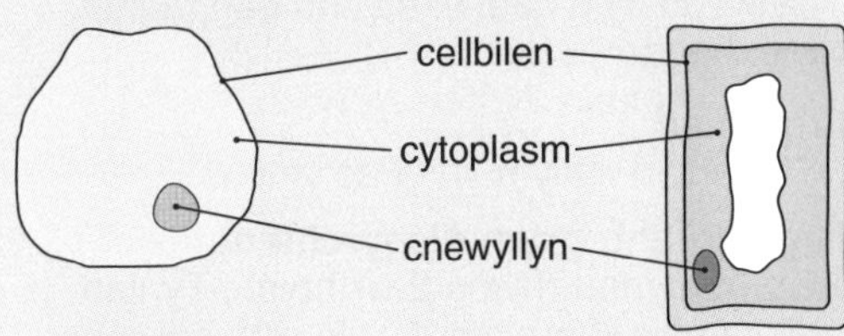

Cerrynt trydan
Llif gwefrau trydan (electronau). Caiff ei fesur mewn ampiau (A) gan amedr.

Cigysydd
Anifail sy'n bwyta anifeiliaid eraill yn unig – anifail sy'n bwyta cig.

Cloroffyl
Cemegyn gwyrdd mewn planhigion sy'n amsugno egni golau ar gyfer ffotosynthesis.

Cloroplastau
Adeileddau crwn bychan y tu mewn i gelloedd planhigion. Maen nhw'n amsugno egni golau ac yn ei ddefnyddio i wneud bwyd yn rhan o ffotosynthesis.

Cnewyllyn cell
Adeiledd crwn sy'n rheoli'r gell ac yn cynnwys cyfarwyddiadau i wneud rhagor o gelloedd.

Craig fetamorffig
Craig sy'n cael ei ffurfio drwy wresogi a chywasgu craig sydd eisoes yn bod.

Craig igneaidd
Craig sy'n cael ei ffurfio gan ddeunydd tawdd (wedi ymdoddi) yn oeri.

Craig waddod
Craig sy'n cael ei ffurfio drwy wasgu ynghyd haenau o ddeunydd sy'n setlo allan o'r dŵr.

Cromatograffaeth
Dull sy'n cael ei ddefnyddio i wahanu cymysgedd o wahanol sylweddau sydd, fel arfer, wedi'i liwio.

Croth
Y groth yw'r man lle bydd wy wedi'i ffrwythloni yn tyfu'n faban.

Cydran
Y gwahanol rannau sy'n ffurfio cylched drydanol, e.e. batri, stwitsh, bylb:

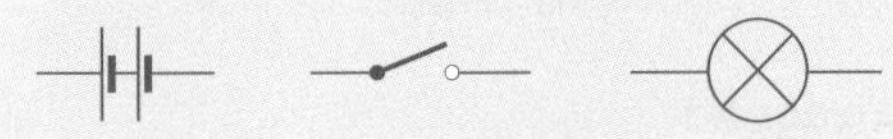

Cyfansoddyn
Y sylwedd sy'n cael ei greu pan fydd dwy elfen neu ragor yn cael eu huno â'i gilydd yn gemegol, e.e. mae dŵr yn gyfansoddyn hydrogen ac ocsigen.

Cyffur
Cemegyn sy'n newid y ffordd y bydd eich corff yn gweithio, e.e. alcohol, canabis, nicotin, hydoddyddion.

Cyflyrau Mater
Y tri chyflwr ar gyfer mater: solid, hylif a nwy.

Cyfnod
Yr holl elfennau mewn un rhes ar draws y tabl cyfnodol.

Cyfres Adweithedd
Rhestr o elfennau yn nhrefn adweithedd. Mae'r elfen fwyaf adweithiol ar ben y rhestr.

Cyhyrau
Yr adeileddau sy'n cyfangu ac yn llaesu i symud yr esgyrn wrth y cymalau.

Cylched baralel
Ffordd o gysylltu pethau mewn cylched drydanol fel y bo'r cerrynt yn rhannu ac yn mynd drwy wahanol ganghennau. Gweler tudalen 120.

Cylched gyfres
Ffordd o gysylltu pethau mewn cylched gyfres fel y bydd y cerrynt yn llifo drwy bob un yn ei dro. Gweler tudalen 120.

Cylchred greigiau
Cylchred sy'n golygu y gall un math o graig gael ei newid yn fath arall o graig dros gyfnod o amser.

Cymalau
Dyma'r pwynt lle bydd dau asgwrn yn dod at ei gilydd. Y cymalau sydd fel arfer yn ein galluogi ni i symud.

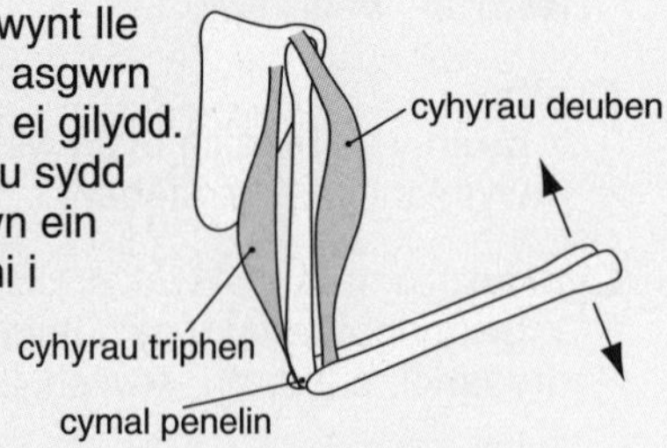

Cymysgedd
Sylwedd sy'n cael ei wneud pan fydd rhai elfennau neu gyfansoddion yn cael eu cymysgu gyda'i gilydd. *Nid* yw'n bur.

Cynefin
Y man lle mae planhigyn neu anifail yn byw.

Cynhyrchwyr
Planhigion gwyrdd sy'n gwneud eu bwyd eu hunain drwy ffotosynthesis.

Cynnyrch
Sylwedd sy'n cael ei wneud o ganlyniad i adwaith cemegol.

Cysawd yr Haul
Yr haul a'r 9 planed sy'n troi o'i amgylch.

Cystadlu
Y frwydr i oroesi. Bydd pethau byw yn cystadlu am adnoddau prin, e.e. lle i fyw.

Cytoplasm
Y rhan o'r gell sy'n debyg i jeli lle bydd nifer o adweithiau cemegol yn digwydd.

Dangosydd cyffredinol
Hylif sy'n newid lliw pan fydd asid neu alcali yn cael ei ychwanegu ato. Mae'n dangos a ydy'r asid neu'r alcali yn gryf neu'n wan.

Dargludydd
Mae dargludydd trydanol yn caniatáu i gerrynt lifo drwyddo. Mae dargludydd thermol yn caniatáu i egni gwres fynd drwyddo. Mae pob metel yn ddargludydd da.

Deddf adlewyrchiad
Pan fydd pelydrau golau yn bownsio oddi ar ddrych:
ongl drawiad = ongl adlewyrchiad

Delwedd
Pan fyddwch yn edrych mewn drych fe welwch chi ddelwedd ohonoch chi eich hun.

Deunydd magnetig
Sylwedd sy'n cael ei atynnu gan fagnet, e.e. haearn a dur.

Dirgryniad
Symudiad cyflym yn ôl ac ymlaen.

Disgyrchiant, grym disgyrchiant
Grym atynnu rhwng 2 wrthrych. Tyniad disgyrchiant arnoch chi yw eich pwysau.

Distyllu
Dull o wahanu hylif o gymysgedd o hylifau drwy ferwi'r sylweddau ar wahanol dymereddau.

Dwysedd
Mesur sy'n cynrychioli pa mor drwm yw rhywbeth o'i gymharu â'i faint:

$$\text{dwysedd} = \frac{\text{màs}}{\text{cyfaint}}$$

Echelin
Mae'r Ddaear yn troi ar ei hechelin. Llinell ddychmygol ydy hi sy'n mynd drwy ganol y Ddaear o Begwn y Gogledd i Begwn y De.

Ecsothermig
Adwaith a fydd yn rhyddhau egni gwres *allan* i'r amgylchoedd.

Ecwilibriwm
Cyflwr o gydbwysedd lle mae'r holl rymoedd yn canslo eu hunain allan.

Egni cinetig
Egni rhywbeth sy'n symud.

Egni potensial
Egni sydd wedi'i storio, e.e. beic ar ben bryn.

Egni thermol
Enw arall am egni gwres.

Egwyddor cadwraeth egni
Mae'r egni sydd ar gael cyn ei drosglwyddo bob amser yn hafal i'r egni sydd ar gael ar ôl ei drosglwyddo. Mae'r egni yn cael ei 'gadw'.

Electromagnet
Bydd coil o wifren yn troi'n fagnet pan fydd cerrynt yn llifo trwyddo. Gweler tudalen 127.

Electron
Gronyn bychan â gwefr negatif.

Elfen
Sylwedd sydd wedi'i wneud â dim ond un math o atom.

Embryo
Bydd wy sydd wedi'i ffrwythloni yn tyfu'n embryo ac, yn y pen draw, yn faban.

Endothermig
Adwaith sy'n dwyn egni gwres *i mewn* o'i amgylchoedd.

Ensymau
Cemegau sy'n gweithio fel catalyddion i gyflymu'r broses o dreulio bwyd.

Eplesu
Yr adwaith a fydd yn digwydd pan fydd siwgr yn troi'n alcohol.

Erydu
Y broses lle bydd creigiau yn cael eu treulio.

Etifeddol
Dyma'r nodweddion y bydd rhieni yn eu trosglwyddo i'w plant.

Firws
Microbau bychan iawn na allwch chi mo'u gweld â mircosgop. Bydd llawer yn lledu clefydau drwy fynd i mewn i gelloedd a chopïo eu hunain, e.e. y ffliw.

Fitaminau
Mae angen ychydig o gemegau cymhlyg arnom ni i'n cadw'n iach, e.e. fitamin C.

Ffibr
Y bwyd a gawn o blanhigion nad yw'n bosib ei dreulio. Mae'n rhoi rhywbeth i gyhyrau'r coluddion wthio yn ei erbyn.

Fformiwla
Cyfuniad o symbolau sy'n dangos yr elfennau sydd mewn cyfansoddyn, e.e. MgO yw fformiwla magnesiwm ocsid.

Ffosil
Gweddillion anifail neu blanhigyn sydd wedi'u cadw mewn creigiau.

Ffotosynthesis
Y broses lle bydd planhigion gwyrdd yn defnyddio egni golau i droi carbon deuocsid a dŵr yn siwgr:

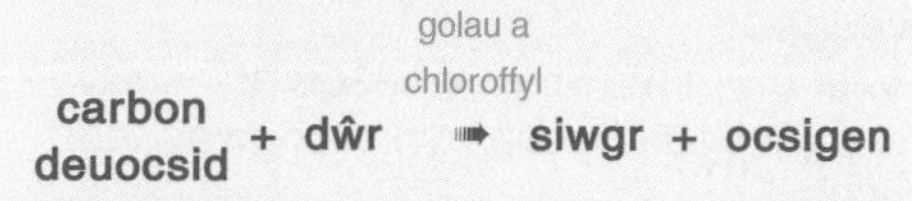

Ffrithiant
Grym lle bo dau arwyneb yn rhwbio yn erbyn ei gilydd. Mae bob amser yn gwthio yn erbyn y symudiad.

Ffrwythloni
Bydd hyn yn digwydd pan fydd celloedd rhyw yn uno i greu unigolyn newydd, e.e. sberm ac wy, neu gnewyllyn grawn paill a chnewyllyn ofwl.

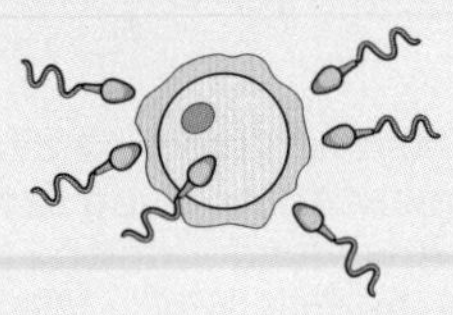

Grŵp
Yr holl elfennau mewn un golofn i lawr y tabl cyfnodol.

Grym cydeffaith
Canlyniad *grymoedd anghytbwys*. Gweler tudalen 109.

Grymoedd anghytbwys
Os na fydd 2 rym yn canslo eu hunain allan, dywedwn eu bod yn anghytbwys. O ganlyniad, bydd grym cydeffaith. Gweler tudalen 109. Bydd y gwrthrych yn newid ei fuanedd neu ei gyfeiriad.

Grymoedd cytbwys
Mae grymoedd yn gytbwys pan fyddant yn canslo eu hunain allan (gweler tudalen 108). Bydd y gwrthrych yn aros yn ei unfan neu'n dal i symud ar fuanedd cyson mewn llinell syth.

Gwasgariad
Pelydryn o olau gwyn yn mynd drwy brism gwydr ac yn hollti i ddangos 7 lliw y sbectrwm.

Gwasgaru
Pan fydd pelydrau golau yn taro arwyneb garw (tebyg i bapur) byddant yn adlewyrchu i bob cyfeiriad.

Gwasgedd
Mae grym mawr yn gwasgu ar arwynebedd bychan yn rhoi gwasgedd uchel.

$$\text{Gwasgedd} = \frac{\text{grym}}{\text{arwynebedd}}$$

Gwe fwydydd
Diagram sy'n dangos nifer o gadwynau bwydydd wedi'u cysylltu â'i gilydd.

Gwrtaith
Y maetholynnau all gael eu hychwanegu at bridd os ydynt yn brin.

Gwrthfiotig
Cyffur defnyddiol i helpu eich corff i ymladd clefydau.

Gwrthiant
Mae gwifren denau yn rhoi mwy o wrthiant i gerrynt trydan na gwifren drwchus.

Gwrthiant aer
Grym sy'n gwthio yn erbyn gwrthrych sy'n symud – oherwydd ffrithiant â'r aer, e.e. mae gwrthiant aer yn arafu parasiwt.

Hafaliad
Llaw-fer i ddangos y newid a fydd yn digwydd mewn adwaith cemegol,
e.e. haearn + sylffwr ➠ haearn sylffid
Fe + S ➠ FeS

Halen/Halwyn
Sylwedd sy'n cael ei wneud pan fydd asid a bas yn adweithio yn erbyn ei gilydd.

Hidlo
Y broses sy'n cael ei defnyddio i wahanu solidau sydd heb eu hydoddi mewn hylif.

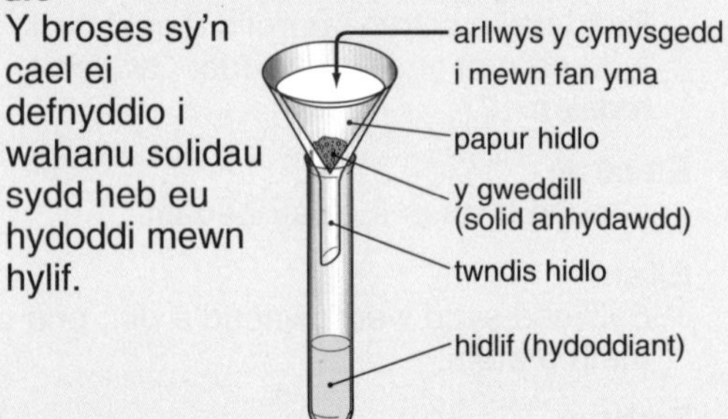

Hindreulio
Creigiau'n chwalu oherwydd effeithiau'r tywydd fel y gwynt a'r glaw.

Hollysydd
Anifail sy'n bwyta planhigion ac anifeiliaid.

Hydawdd
Gair i ddisgrifio rhywbeth sy'n hydoddi, e.e. mae halen yn hydawdd mewn dŵr.

Hydoddiant dirlawn
Hydoddiant lle na all mwy o'r solid hydoddi ar y tymheredd hwnnw.

Hydoddiant
Yr hylif clir sy'n cael ei wneud pan fydd hydoddyn yn hydoddi mewn hydoddydd, e.e. mae halen (hydoddyn) yn hydoddi mewn dŵr (hydoddydd) i wneud hydoddiant halen.

Hydoddydd
Yr hylif a fydd yn hydoddi'r hydoddyn i wneud hydoddiant.

Hydoddyn
Y solid sy'n hydoddi i wneud hydoddiant.

Hylif
Sylwedd sy'n ymledu i siâp ei gynhwysydd, all gael ei arllwys ac na all gael ei wasgu'n hawdd. Mae gronynnau hylif yn weddol agos at ei gilydd ond maen nhw'n rhydd i symud.

Hylosgi
Dyma'r adwaith sy'n digwydd pan fydd sylwedd yn llosgi mewn ocsigen, gan roi egni gwres.

Imiwnedd
Hyn sy'n atal y corff rhag dal rhyw glefyd arbennig am fod gwrthgyrff yn y gwaed i'w ymladd.

Llencyndod
Yr adeg y bydd plentyn yn datblygu'n oedolyn pan fydd ein cyrff a'n hemosiynau'n newid.

Lloeren
Gwrthrych sy'n mynd o gwmpas planed neu seren, e.e. y Lleuad o gwmpas y Ddaear.

Llysysydd
Anifail sy'n bwyta planhigion yn unig.

Maes magnetig
Yr ardal o gwmpas magnet lle mae'n atynnu neu'n gwrthyrru magnet arall.

Maetholynnau
Y cemegau sydd eu hangen ar blanhigion er mwyn tyfu'n iach, e.e. nitradau, ffosffadau.

Magma
Craig dawdd boeth o dan wyneb y Ddaear.

Meinwe
Grŵp o gelloedd tebyg sy'n edrych yr un fath â'i gilydd ac sy'n gwneud yr un gwaith.

Metel
Elfen sy'n ddargludydd da ac fel arfer yn loyw, e.e. copr.

Mislif
Pan fydd leinin y groth yn torri i lawr a bydd gwaed a chelloedd yn gadael y corff drwy'r wain.

Moleciwl
Grŵp o atomau sydd wedi'u huno gyda'i gilydd.

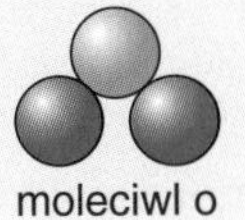

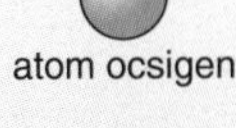

Moment
Effaith troi grym.
Moment = grym x pellter o'r colyn

Newid cemegol
Newid sy'n creu sylwedd newydd, e.e. glo'n llosgi.

Newid ffisegol
Newid lle na fydd unrhyw sylweddau newydd yn cael eu cynhyrchu. Y cyfan a fydd yn digwydd yw y bydd y sylwedd yn newid i gyflwr gwahanol, e.e. dŵr yn berwi.

Niwclews atom
Canol atom.

Niwtral
Rhywbeth nad yw'n asid nac yn alcali.

Niwtraliad/Niwtraleiddio
Adwaith cemegol asid gyda bas, lle byddant yn canslo eu hunain allan.

Nwy
Sylwedd sy'n ysgafn, sy'n ymledu i siâp ei gynhwysydd ac all gael ei wasgu'n hawdd. Mae gronynnau nwy ymhell oddi wrth ei gilydd. Byddant yn symud yn gyflym ac i bob cyfeiriad.

Ocsidiad/Ocsidio
Yr adwaith sy'n digwydd pan fydd ocsigen yn cael ei ychwanegu at sylwedd.

Ofari
Y man lle mae wyau'n cael eu cynhyrchu mewn menyw.

Orbit
Llwybr planed neu loeren. Mae ei siâp fel arfer yn elips (hirgrwn).

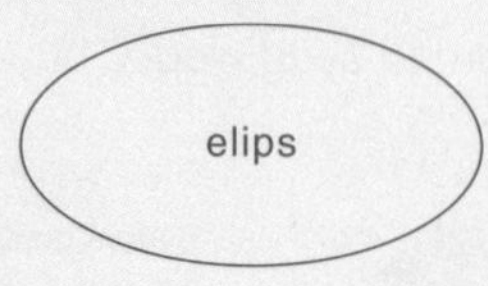

Organ
Adeiledd sydd wedi'i wneud o wahanol feinweoedd sy'n gweithio gyda'i gilydd at ryw ddiben arbennig.

Organeb
Peth byw fel planhigyn, anifail neu ficrob.

Osgled
Maint dirgryniad neu don sy'n cael ei fesur o'i bwynt canol. Mae osgled mawr i sain gref.

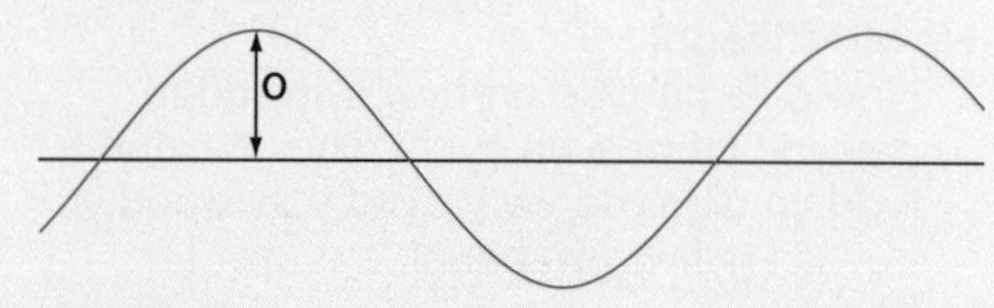

Peillio
Y paill yn cael ei drosglwyddo o'r antheri i stigma blodyn.

Pellter brecio
Y pellter y bydd car yn teithio *ar ôl* gwasgu'r brêc.

Pellter meddwl
Y pellter a deithiwyd gan gar yn ystod amser adweithio'r gyrrwr.

Plygiant
Mae pelydryn golau yn mynd o un sylwedd i'r llall yn plygu (plygiant).

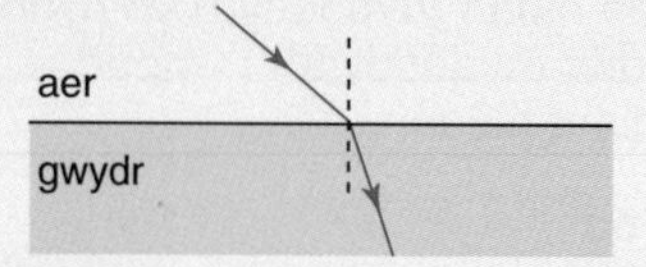

Poblogaeth
Grŵp o anifeiliaid neu blanhigion o'r un rhywogaeth yn byw yn yr un cynefin.

Protein
Bwyd sydd ei angen i dyfu ac atgyweirio celloedd.

Proton
Gronyn positif bychan y tu mewn i niwclews atom.

Pyramid niferoedd
Diagram i ddangos faint o bethau byw sydd ar bob lefel mewn cadwyn fwyd.

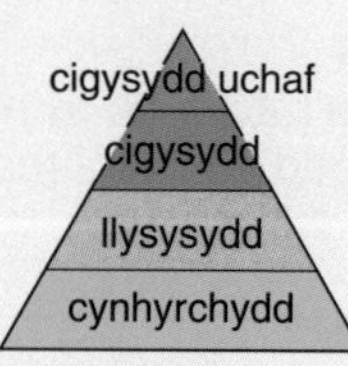

Relái
Switsh sy'n cael ei weithio gan electromagnet. Gall cerrynt bychan droi cerrynt mawr ymlaen.

Resbiradaeth
Egni yn cael ei ryddhau o fwyd yn ein celloedd. Fel arfer, caiff ocsigen ei ddefnyddio a chaiff carbon deuocsid ei gynhyrchu.

glwcos + ocsigen ➠ carbon deuocsid + dŵr + egni

Rhif atomig
Rhif y protonau sydd ym mhob atom mewn elfen. Mae'r elfennau wedi'u trefnu yn y Tabl Cyfnodol yn nhrefn y rhif atomig hwn.

Rhif pH
Rhif sy'n dangos pa mor gryf yw'r asid neu'r alcali. Mae pH asidau rhwng 1-6 (mae pH1 yn gryf iawn). Mae pH alcalïau rhwng 8-14 (mae pH 14 yn gryf iawn).

Rhydwythiad/Rhydwytho
Dyma'r adwaith a fydd yn digwydd pan fydd ocsigen yn cael ei dynnu oddi yno, e.e. mae copr ocsid yn cael ei rydwytho'n gopr.

Sbectrwm
Lliwiau'r enfys a fydd yn gwahanu wrth i olau gwyn fynd drwy brism: coch, oren, melyn, gwyrdd, glas, indigo, fioled.

Solid
Sylwedd sydd â siâp pendant, nad yw'n rhedeg ac nad yw'n bosib ei wasgu'n hawdd. Mae'r gronynnau mewn solid wedi'u pacio'n agos iawn at ei gilydd – maen nhw'n dirgrynu ond dydyn nhw ddim yn symud o un man i'r llall.

Tabl Cyfnodol
Tabl o'r elfennau wedi'u gosod yn nhrefn eu rhifau atomig gan ffurfio gwahanol grwpiau a chyfnodau.

Tanwydd
Sylwedd sy'n cael ei losgi mewn aer (ocsigen) i roi egni.

Tanwydd biomas
Tanwydd (e.e. coed) sy'n dod o blanhigion sy'n tyfu.

Tanwydd ffosil
Tanwydd sydd wedi'i gynhyrchu o weddillion planhigion ac anifeiliaid a fu farw filynau o flynyddoedd yn ôl, e.e. glo, olew, nwy naturiol.

Tonfedd
Y pellter rhwng 2 frig ton:

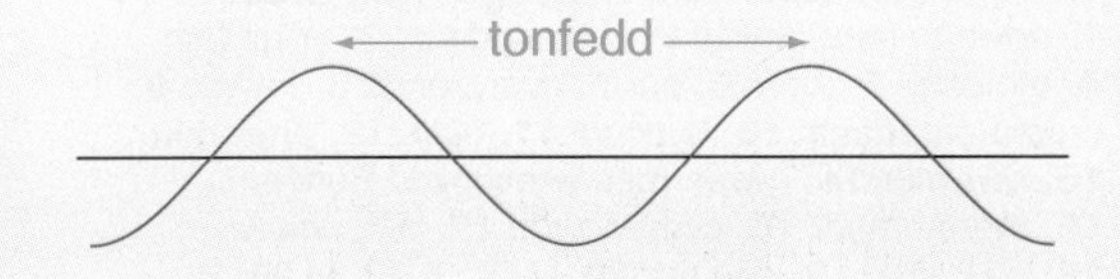

Traw
Mae traw uchel i chwiban a thraw isel i gitar bas.

Trawsnewid egni
Egni yn newid o un ffurf i'r llall, e.e. pan fydd papur yn llosgi, bydd egni cemegol yn newid yn egni gwres a golau.

Treulio
Torri bwyd i lawr fel y bo'n ddigon bach i fynd drwy'r coluddion i'r gwaed.

Trosglwyddiad thermol
Pan fydd paned o de yn oeri, bydd egni thermol (gwres) yn cael ei drosglwyddo o'r cwpan i'r amgylchoedd. Gall gael ei drosglwyddo drwy ddargludiad, darfudiad, pelydriad ac anweddiad.

Trosglwyddo egni
Egni yn symud o un man i'r llall er mwyn cyflawni tasg arbennig.

Tryledìad/Tryledu
Y broses lle bydd gronynnau yn symud ac yn cymysgu ohonynt eu hunain heb gael eu troi na'u hysgwyd.

Tymheredd
Pa mor boeth neu oer yw rhywbeth. Caiff ei fesur mewn °C, gan ddefnyddio thermomedr.

Ymdoddbwynt
Y tymheredd lle bydd solid yn ymdoddi ac yn newid yn hylif.

Ynysydd
Dydy ynysydd trydanol ddim yn caniatáu i gerrynt lifo'n hawdd. Dydy ynysydd thermol ddim yn caniatáu i egni gwres lifo'n hawdd.

Ysgyfaint
Yr organau yn ein corff sy'n casglu'r ocsigen ac yn cael gwared â charbon deuocsid.

Atebion y Profion Cyflym

1. Celloedd tudalen 7

1. cellbilen **2.** cytoplasm **3.** cnewyllyn **4.** sberm
5. cynffon **6.** gwreiddflew **7.** amsugno **8.** cilia **9.** palis
10. cloroplastau **11.** cellfur **12.** wy **13.** meinweoedd
14. organeb **15.** firysau **16.** gwrthgyrff **17.** imiwnedd
18. gwrthfiotigau

2. Bwyd a threulio bwyd tudalen 13

1. cytbwys (neu iach) **2., 3.** carbohydradau, brasterau
4. resbiradaeth **15.** proteinau
6., 7. fitaminau, halwynau mwynol
8. ffibr (neu fwyd garw) **9.** anhydawdd **10.** treulio
11. ensymau **12.** ensymau **13.** treulio **14.** coluddion
15. gwaed **16.** coluddion **17.** carthiad
18., 19. alcohol, hydoddyddion
20. pibell fwyd (neu oesoffagws) **21.** stumog
22. y coluddyn bach **23.** y coluddyn mawr **24.** afu/iau
25. pancreas **26.** anws

3. Y corff actif tudalen 19

1. resbiradaeth **2.** egni **3.** ocsigen **4.** carbon deuocsid
5. resbiradaeth **6.** ysgyfaint **7.** tracea **8.** ocsigen
9. gwaed **10.** carbon deuocsid **11.** gwaed **12.** ocsigen
13. carbon deuocsid **14.** ysgyfaint **15.** gwaed **16.** bwyd
17. arennau **18., 19.** canser, broncitis **20.** sgerbwd
21. amddiffyn **22.** esgyrn **23.** cyfangu **24.** gwrthweithiol
25. bwyd **26.** ocsigen **27.** carbon deuocsid **28.** bwyd
29. ocsigen **30.** carbon deuocsid

4. Prifio tudalen 25

1. ceilliau **2.** tiwb sbermau **3.** semen **4.** ofarïau
5. dwythell wyau (neu diwb Fallopio) **6.** croth **7.** y wain
8. ffrwythloni **9.** dwythell wyau (neu diwb Fallopio)
10. dwythell wyau (neu diwb Fallopio) **11.** y groth
12. embryo **13.** brych **14.** brych **15.** brych
16. llinyn bogail **17.** coden hylif (neu amnion)
18. y groth **19.** y wain **20.** mislif **21.** llencyndod
22. ceilliau **23.** llencyndod **24.** ofarïau **25.** mislif
26. brych **27.** coden hylif (neu amnion) **28.** llinyn bogail
29. y groth **30.** y wain

5. Planhigion ar waith tudalen 31

1. cloroffyl **2.** ffotosynthesis **3.** ocsigen **4.** ffotosynthesis
5. carbon deuocsid **6.** ocsigen **7.** resbiradaeth
8. ocsigen **9.** resbiradaeth **10.** ffotosynthesis
11. carbon deuocsid **12.** resbiradaeth
13. carbon deuocsid **14.** maetholynnau (neu fwynau)
15. nitradau **16.** maetholynnau (neu fwynau)
17. maetholynnau (neu fwynau) **18.** gwrteithiau
19. maetholynnau (neu fwynau) **20.** gwreiddflew
21. paill **22.** ofwlau **23.** paill **24.** peillio **25.** paill
26. ofwl **27.** ffrwythloni **28.** ffrwythloni **29.** ffrwythau
30. ofwl

6. Amrywiadau tudalen 37

1. rhywogaeth **2.** tebyg **3.** rhieni **4.** etifeddu
5. yr amgylchedd **6., 7., 8, 9.** grŵp gwaed, taldra, llygaid brown, brychni **10.** dosbarthu **11.** adar
12. pry genwair **13.** conwydd **14.** pysgod **15.** pryfed
16. molwsgiaid **17.** mwsogl **18.** detholus **19.** cynnyrch
21. pry genwair segmentiedig **22.** grŵp sêr môr
23. arthropodau / arachnidau **24.** molwsgiaid
25. grŵp slefrod môr

7. Yr Amgylchedd tudalen 43

1. cynefin **2.** addasiadau **3.** hadau **4.** gaeafgysgu
5. mudo **6.** poblogaeth **7.** cyfyngu
8., 9. bwyd, lle i fyw, hinsawdd **10.** ysglyfaeth
11. cystadlu **12.** bwyd **13.** tiriogaeth, lle, bwyd
14., 15. golau, lle (neu faetholynnau) **16.** hadau
17. cynhyrchwyr **18., 19.** aderyn du, buwch goch gota, chwilod y llawr **20.** cynyddu **21.** gostwng
22. planhigion gardd **23.** chwilod y llawr
24. aderyn du **25.** yr aderyn du
26.

8. Mater tudalen 49

1. hylifau **2.** solidau **3.** mater **4.** gronynnau **5.** dirgrynu
6. ehangu **7.** cyfangu **8.** trylediad **9.** nwyon
10. ymdoddbwynt **11.** rhewi **12.** anweddu
13. cyddwyso **14.** hydawdd **15.** anhydawdd
16. hydoddyn **17.** hydoddydd **18.** dirlawn **19.** poeth
20. mae'n hydoddi **21.** drwy wresogi'r dŵr

9. Elfennau tudalen 55

1. elfennau **2.** atom **3.** symbol **4., 5.** metelau, anfetelau
6. gloyw **7.** dargludo **8.** metel **9.** alwminiwm
10. ocsigen **11.** nitrogen **12.** carbon **13.** calsiwm
14., 15. Na, K **16., 17.** F, Br **18., 19., 20.** Na, Mg, S
21. Na neu K **22.** Br **23.** S **24.** Mg

10. Cyfansoddion a chymysgeddau tudalen 61

1. adwaith (neu newid) **2.** cyfansoddiad **3.** yr un fath
4. moleciwl **5.** atom **6.** pur **7.** cymysgedd **8.** hawdd **9.** cromatograffaeth **10.** hydoddi **11.** hidlo **12.** anweddu
13. dŵr môr **14.** gwres (neu wresogydd Bunsen)
15. thermomedr **16.** cyddwysydd **17.** dŵr i mewn
18. dŵr allan **19.** dŵr pur **20.** M **21.** E **22.** M **23.** E
24. C **25.** C

11. Adweithiau cemegol tudalen 67

1. ffisegol **2.** hawdd **3.** cemegol **4.** anodd **5.** màs
6. adweithyddion **7.** cynnyrch **8.** ecsothermig
9. tymheredd **10.** niwtraliad **11.** hylosgi
12. rhydwytho **13.** dadelfeniad thermol **14.** eplesu
15. calsiwm ocsid **16.** clorin **17.** haearn sylffid
18. B **19.** A **20.** C

12. Creigiau tudalen 73

1. ehangu **2.** cyfangu **3.** hindreulio **4.** rhewi
5. glaw asid **6.** igneaidd **7.** bach **8.** mwy o faint
9. gwaddod **10.** metamorffig **11.** erydiad
12. creigiau'n cael eu cludo
13. creigiau'n cael eu dyddodi
14. creigiau newydd yn cael eu ffurfio

13. Y Gyfres Adweithedd tudalen 79

1. metelau **2.** Y Gyfres Adweithedd **3.** adweithiol
4. hydrogen **5.** dadleoli **6.** hydrogen **7.** hydrogen
8. calsiwm ocsid **9., 10.** magnesiwm sylffad, copr
11., 12. (Dim adwaith) tun, sinc clorid
13., 14. sinc ocsid, copr **15.** X **16.** Z **17.** Y **18.** A **19.** C
20. B **21.** mae swigod nwy hydrogen yn cael eu gollwng yn gynt o fetel mwy adweithiol

14. Asidau ac alcalïau tudalen 85

1. pH **2.** dangosydd cyffredinol **3.** basau **4.** halwynau
5. clorid **6.** nitrad **7.** asid **8.** niwtraliad **9.** alcali
10. glas/porffor **11.** B **12.** A **13.** C
14. swigod o nwy hydrogen (neu ffisian)
15. swigod o nwy carbon deuocsid (neu ffisian)
16., 17. sodiwm sylffad, dŵr
18., 19., 20. copr clorid, carbon deuocsid, dŵr

15. Egni tudalen 91

1. cinetig **2.** potensial **3., 4.** glo, olew
5. anadnewyddadwy **6.** haul (golau haul)
7. adnewyddadwy **8.** gwynt, tonnau, golau haul (egni solar), cronfeydd trydan dŵr, y llanw, gorsafoedd geothermol, biomas (e.e. planhigion)
9. thermol (neu wres) **10.** moleciwlau (neu atomau)
11. mwy **12.** egni **13.** thermol (neu wres neu fewnol)
14. dargludiad **15.** darfudiad **16.** trosglwyddo
17. cinetig (symudiad) **18.** cemegol (neu botensial neu wedi'i storio) **19.** trydan
20., 21. golau a thermol (gwres)
22. cadwraeth egni **23.** llai

16. Golau tudalen 97

1. cyflym **2.** adlewyrchiad **3.** trawiad **4.** adlewyrchiad
5. 50 cm yn union y tu ôl i'r drych (fel y bo'r llinell sy'n uno'r gwrthrych a'r ddelwydd ar ongl sgwâr i'r drych)
6. pelydryn (neu don) **7.** buanedd **8.** arafu **9.** plygu
10. tuag at **11.** plygiant **12.** i ffwrdd **13.** prism
14. sbectrwm (enfys) **15.** gwasgariad **16.** oren
17. melyn **18.** gwyrdd **19.** glas **20.** indigo **21.** fioled
22. glas **23.** amsugno **24.** coch (yn unig)
25. amsugno **26.** du (y golau i gyd wedi'i amsugno)
27. bydd rhai pelydrau yn mynd heibio fy llaw ac yn cyrraedd y wal gan ei goleuo; bydd pelydrau eraill yn taro yn erbyn fy llaw ac yn methu mynd drwyddi i gyrraedd y wal gan adael rhannau ohoni'n dywyll.

17. Sain tudalen 103

1. seindon **2.** gwactod **3.** dirgryniad **4.** seindon
5. egni **6.** tympan y glust **7.** osgled
8. egni (neu osgled, neu desibelau) **9.** amledd
10. amledd **11.** herts **12.** araf **13.** cyn **14.** 3300
15. gweld mellten goleuni ac yna, 2 eiliad yn ddiweddarach, clywed y daran **16.** A **17.** C **18.** B
19. D **20.** A, B (yr un donfedd)

18. Grymoedd tudalen 109

1. disgyrchiant **2.** newtonau (N) **3.** grym **4.** atal
5. llilinio **6.** cytbwys (hafal a dirgroes) **7.** cydeffaith
8. dal i aros yn ei unfan **9.** cytbwys
10. cydeffaith (neu anghytbwys) **11.** 3 **12.** dde **13.** de
14. 25 **15.** 8 **16.** 200 **17.** 3

19. Cysawd yr Haul tudalen 115

1. dwyrain **2.** gorllewin **3.** dwyrain **4.** gorllewin
5. y Ddaear **6.** un **7.** 24 **8.** un **9.** 365 ($365\frac{1}{4}$)
10. y Ddaear (neu blaned) **11.** Haul **12.** uwch
13. hirach **14.** yn gynhesach **15.** 9 **16.** Haul
17. Iau **18.** Mawrth **19.** Plwton **20.** yr Haul
21. orbit (neu elips) **22.** elips (neu hirgrwn)
23. disgyrchiant **24.** seren **25.** planed **26.** orbit
27. disgyrchiant **28.** y Ddaear

20. Cylchedau trydanol tudalen 121

1. cerrynt **2.** cylched **3.** dargludydd **4.** ynysydd
5. amedr **6.** amperau (amps) **7.** foltmedr **8.** foltiau
9. cyfres **10.** cerrynt **11.** cyfres **12.** 2A **13.** 2A
14. yn fwy **15.** yn llai **16.** paralel
17. bydd y ddau fylb yn diffodd oherwydd bydd y switsh wedi'u byrgylchedu nhw (bydd yr holl gerrynt yn mynd drwy'r switsh sydd â gwrthiant llai)

21. Magnetedd tudalen 127

1. magnet **2.** gwrthyrru **3.** gwrthyrru **4.** atynnu **5.** bar
6. haearn **7.** cwmpawd **8.** cynyddu **9.** cynyddu
10. ychwanegu **11.** cerrynt **12.** cylched (neu goil)
13. electromagnet **14.** maes **15.** craidd **16.** atynnu
17. bydd y cerrynt yn stopio, felly fydd y coil ddim yn gweithio bellach fel electromagnet, felly bydd disgyrchiant yn tynnu'r bar haearn yn fertigol fel y mae'r diagram yn ei ddangos.

Atebion ar gyfer Papurau'r Profion

Pob (✓) = 1 marc

1. Celloedd tudalen 8

1. (a) (i) X = cnewyllyn (✓) Y = cellbilen (✓)
   (ii) Naill ai cloroplastau neu gellfur (✓)
   (b) Mae'n rheoli gweithgareddau'r gell (✓)
   (c) (i) C(✓)
   (ii) Mae ganddi gynffon hir i'w helpu i nofio tuag at yr wy yn ystod ffrwythloni (✓)

2. (a) (ii) Cellbilen (✓)
   (iii) Cytoplasm (✓)
   (b) (i) Cloroplast (✓)
   (ii) Caiff ei ddefnyddio i amsugno golau haul ond mae'r gwraidd o dan y ddaear ac nid yw'n cael golau (✓)
   (iii) Mae ganddo arwynebedd arwyneb mawr er mwyn amsugno dŵr a halwynau (✓)

Celloedd tudalen 10

1. (a) Nid oes cnewyllyn gan facteriwm (✓)
   (b) (i) Carthion yn mynd i mewn i'r cyflenwad dŵr croyw (✓)
   (ii) Berwi dŵr yfed (✓)
   (c) (i) Ar gyfer resbiradaeth er mwyn rhyddhau egni (✓)
   (ii) Er mwyn gwneud protein (✓)
   (d) Ychydig yn asidig oherwydd mae angen pH 6 (✓)

2. (a) (i) B (✓)
   (ii) Colera, teiffoid a gwenwyn bwyd (✓)
   (b) Colera a'r ddarfodedigaeth (✓)
   (c) Na, byddai disgwyl i wrthfiotig A atal twf y bacteriwm teiffoid (✓)
   (d) Mae'n ysgogi'r corff i gynhyrchu gwrthgyrff yn erbyn y ddarfodedigaeth (✓)
   Petai'r person hwnnw'n dal y ddarfodedigaeth yn ddiweddarach, byddai'r corff yn gallu cynhyrchu gwrthgyrff yn gyflym iawn (✓)
   (e) Mae mwtaniadau'n digwydd sy'n arwain at greu gwahanol rywogaethau o facteria. Mae rhai ohonyn nhw'n imiwn i wrthfiotig C (✓)

2. Bwyd a threulio bwyd tudalen 14

1. (a) (i) Llaeth (✓) (ii) Oren (✓) (iii) Cig oen (✓)
   (b) Carbohydradau neu frasterau (✓) rhoi egni i'r corff (✓)
   (c) Er mwyn helpu'r bwyd i symud ar hyd y coluddion (✓)
   (d) Mae angen calsiwm ar esgyrn a dannedd wrth iddynt dyfu. Bydd y broses yma ar ben pan fydd pobl wedi cyrraedd eu llawn dwf (✓)
   (e) Mae calsiwm yn llaeth y fron er mwyn helpu esgyrn y baban i dyfu (✓)

2. (a) Pwyso gormod – gormod o fwyd seimllyd, dannedd pwdr – gormod o fwyd melys, anaemia – dim digon o haearn
   (b) (i) Proteinau (✓)
   (ii) Carbohydradau a brasterau (✓)
   (c)

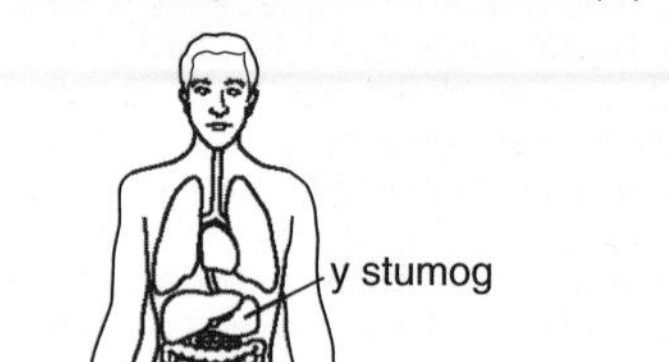

(✓) (✓)

   (d) Ensymau (✓)
   (e) Fel y gallant gael eu hamsugno drwy wal y coluddyn a'u cludo i'r gwaed (✓)

Bwyd a threulio bwyd tudalen 16

1. (a) Fitaminau (✓) mwynau (✓)
   (b) Penwaig (✓)
   (c) Moron (✓)
   (d) Llaeth sy'n cynnwys calsiwm (✓)(✓)
   (e) (5.4 x 16 + 0.7 x 17) x 100 = 9830 kJ (✓)

2. (a) Affrica (✓)
   (b) 400 g (✓)
   (c) Mae ffibr yn helpu i symud bwyd ar hyd y coluddion (✓)
   (d) (i) Dau ffactor e.e. yr un nifer o ieir, ieir o'r un math/maint/oed, yr un faint o fwyd, yr un amodau byw (✓) (✓)
   (ii) Na, oherwydd roedd hi'n ymddangos bod y clefyd wedi'i achosi gan rywbeth a oedd ar goll ym mhlisgyn y reis yn hytrach na rhywbeth roedden nhw'n ei gael gyda'r reis (✓)
   (e) Fitamin neu fwyn (✓)

3. Y corff actif tudalen 20

1. (a) A yw'r ysgyfant (✓) B yw'r galon (✓)
   (b) System cylchrediad y gwaed – cludo gwaed o gwmpas y corff (✓)
   System resbiradol (anadlu) – amsugno'r ocsigen o'r aer i'r gwaed a gwaredu carbon deuocsid (✓)
   (c) Glwcos + ocsigen → carbon deuocsid + dŵr (✓)
   (d) Dwy nodwedd – arwynebedd arwyneb mawr, muriau tenau, rhwydwaith o bibellau gwaed, llaith (✓)(✓)
   (e) Mae arwynebedd yr arwyneb yn llai pan fydd y waliau rhwng y codennau aer yn torri i lawr (✓) felly mae'n fwy anodd amsugno ocsigen (✓)

2. (a) A (✓)
(b) (i) Penglog (✓) (ii) Pelfis (✓)
(c) (i) Pan fydd y fraich wedi'i phlygu wrth y penelin, bydd cyhyr A yn cyfangu a bydd cyhyr B yn llaesu (✓) Pan fydd y fraich yn syth, bydd cyhyr A yn llaesu a bydd cyhyr B yn cyfangu (✓)
(ii) Gwrthweithiol (✓)

Y corff actif tudalen 22

1. (a) A = calon (✓), B = stumog (✓), C = ysgyfaint (✓), D = aren (✓)
(b) (i) Calon (A) (✓) (ii) Ysgyfaint (C) (✓)
(c) Yr ymennydd (✓) Does dim angen i'r ymennydd weithio'n galetach yn ystod ymarfer (✓)
(d) Rydych chi'n defnyddio mwy ar y cyhyrau pan rydych chi'n ymarfer felly mae angen mwy o egni (✓) Mae'n rhaid i'r gwaed gyflenwi mwy o ocsigen a glwcos (✓)

2. (a) Pen-glin (✓)
(b) Pan fydd cyhyr A yn cyfangu a chyhyr B yn llaesu, bydd y goes yn sythu (✓)
Pan fydd cyhyr A yn llaesu a chyhyr B yn cyfangu, bydd y goes yn plygu (✓)
(c) (i) Crydcymalau gwynegol (✓)
(ii) Crydcymalau esgyrnol (✓)
(d) Mae'r arwyneb yn llyfn fel y gall esgyrn symud dros ei gilydd heb achosi traul (✓)
(e) Rhan A = pelfis Rhan B = rhan ucha asgwrn y forddwyd (*femur*) (✓)

4. Prifio tudalen 26

1. (a) (i) Ofari (✓) (ii) Y wain (✓)
(b) (i) Ocsigen neu fwyd (✓)
(ii) Carbon deuocsid (✓)
(c) (i) Ysgyfaint y fam, System cylchrediad y baban (✓)
(ii) Alcohol neu gyffuriau (✓)
(d) Bydd yn gweithio fel sioc laddwr ac yn diogelu'r baban rhag niwed wrth i'r fam symud o gwmpas (✓)

2. (a) C (✓)
(b) B (✓)
(c) Bydd y baban sydd heb ei eni yn tyfu y tu mewn i'r fam (✓)
(d) (i) Nifer y sigaréts gaiff eu smygu 0 (✓) Màs isaf ar enedigaeth 1kg (✓)
(ii) Mwya'n byd o sigaréts y bydd y fam yn eu smygu bob dydd, lleia'n byd y bydd màs y baban ar ei enedigaeth (✓)

Prifio tudalen 28

1. (a) Mae smygu yn lleihau màs y baban ar ei enedigaeth (✓)
(b) Mae'n dibynnu ar faint y rhieni (✓) Mae'n dibynnu ar y maetholynnau gafodd y baban pan oedd yn datblygu (✓)
(c) Bydd sylweddau yn pasio rhwng y ddwy system yn y brych drwy dryledIad (✓)
(d) Gall y clefyd gael ei drosglwyddo o'r fam i'r baban a gall achosi nam ar y baban (✓)
(e) Rhoi chwistrelliad o rwbela i ferched pan fyddan nhw'n ifanc fel na fyddan nhw'n ei ddal pan fyddan nhw'n hŷn (imiwneiddio) (✓)

2. (a) A = Dwythell wyau (tiwb Fallopio) (✓), B = Ofari (✓)
(b) (i) A (✓)
(ii) C (✓)
(c) Mwy o galsiwm (✓) Llai o alcohol (✓)
(d) (i) Bydd maetholynnau yn cael eu trosglwyddo o'r fam i'r baban (✓)
(ii) Bydd ocsigen yn mynd o'r fam i'r baban a bydd carbon deuocsid yn mynd o'r baban i'r fam (✓)
(iii) Bydd cemegau gwastraff yn mynd o'r baban i'r fam (✓)
(e) Newid corfforol – e.e. bechgyn – dechrau cynhyrchu sberm, blew yn dechrau tyfu ar y corff, y llais yn dyfnhau; merched – dechrau rhyddhau wyau, y bronnau'n dechrau datblygu, mislif yn dechrau (✓)
Newid emosiynol – yr anghydbwysedd yn yr hormonau yn golygu eu bod yn oriog ac yn ddrwg eu hwyl ar adegau

5. Planhigion ar waith tudalen 32

1. (a) A – amsugno golau'r haul ar gyfer ffotosynthesis (✓)
B – atgenhedlu (✓)
D – amsugno dŵr a mwynau o'r pridd (✓)
(b) (i) Carbon deuocsid (✓)
(ii) Ocsigen (✓)
(c) (i) Dŵr (✓)
(ii) Maen nhw'n tyfu tuag at y golau am fod angen golau ar gyfer ffotosynthesis (✓)
(d) Mae cloroffyl mewn dail gwyrdd i amsugno golau'r haul ar gyfer ffotosynthesis (✓)
Nid oes golau'n mynd i'r gwreiddiau felly does dim angen cloroffyl (✓)

2. (a) Anther – C (✓), ofari – D (✓), petal – A (✓), stigma – B (✓)
(b) (i) Petal (A) (✓)
(ii) Stigma (B) (✓)
(iii) Ofari D) (✓)
(iv) Anther (C) (✓)
(c) Peillio, ffrwythloni, ffurfio hadau, gwasgaru hadau (✓)
(d) Dydy hadau sy'n egino ddim yn gallu gwneud eu bwyd eu hunain nes bydd eu dail wedi datblygu, fell mae angen storfa o fwyd arnynt pan fyddant yn dechrau tyfu (✓)

Planhigion ar waith tudalen 34

1. (a) Dŵr + carbon deuocsid = glwcos + ocsigen (✓)
(b) Dyna pryd y bydd golau'r haul ar ei fwyaf llachar (✓)
Dyna pryd y bydd y tymheredd ar ei uchaf (✓)
(c) Nitrogen neu ffosfforws neu fagnesiwm (✓)
Amsugno'r maetholynnau sydd wedi hydoddi mewn dŵr yn y pridd, drwy'r gwreiddiau (✓)

(d) Ocsigen + glwcos (carbon deuocsid) + dŵr (✓)
(e) Storfa fawr o fwyd yw'r gwreiddyn, felly mae'n rhaid bod y foronen yn gwneud mwy o fwyd drwy ffotosynthesis nag sydd ei angen arni ar gyfer resbiradaeth (✓)

2. (a) (i) Ofwl (✓)
(ii) Ofari (✓)
(b) Mae paill yn cael ei drosglwyddo o antheri blodau i stigma blodyn arall (✓)
(c) Mae cnewyllyn grawn paill a chnewyllyn ofwl yn uno i roi wy wedi'i ffrwythloni sy'n ffurfio hedyn (✓)
(d) Mae'r blodyn yn wyn – mae blodau sy'n denu pryfed sy'n hedfan yn y dydd yn aml yn lliwgar iawn er mwyn denu'r pryfed ond yn y nos dydy'r lliw ddim yn bwysig (✓) Mae'r rhan fwyaf o wyfynod yn hedfan yn y nos (✓) Byddai angen proboscis mor hir â'r sbardun o leiaf ar y gwyfyn i fedru cael y neithdar (✓)

6. Amrywiadau tudalen 38

1. (a) A = neidr gantroed (✓), B = chwilen (✓), C = malwen (✓), D = pry cop (✓)
(b) (i) Chwilod (✓)
(ii) Yn y nos (✓)
(iii) Fel y byddai'n gwybod pa adeg o'r dydd y cafodd yr anifeiliaid eu dal neu fel y gallai ryddhau'r anifeiliaid cyn iddynt gael rhagor o niwed (✓)

2. (a) Mae maint y clustiau yn wahanol (✓)
(b) (i) Mae clustiau mwy o faint yn pelydru mwy o wres ac felly'n ei hatal rhag gorboethi (✓)
(c) trwch y ffwr (✓)
Byddai disgwyl i gwningen A gael ffwr teneuach gan ei bod yn byw mewn amgylchedd cynhesach (✓)
(d) Byddai'r clustiau yn fwy a'r ffwr yn deneuach wrth iddynt ymaddasu i amgylchedd yn gynhesach (✓)

Amrywiadau tudalen 40

1. (a) B (✓)
(b) Un darn (✓) Cragen maharen neu wichiad moch (✓)
Dau ddarn (✓) Cyllell fôr neu gocysen (✓)
(c) Ffactorau amgylcheddol, ynghlwm wrth y bwyd sydd ar gael (✓)
(d) Eu rhieni, drwy'r genynnau maen nhw wedi eu hetifeddu (✓)

2. (a) Dwy nodwedd – Rydw i'n ferch neu Mae gen i wallt brown neu Mae gen i lygaid glas (✓)(✓)
(b) Rydw i'n pwyso 43 kg (✓), Rydw i'n 1.54 m o ran fy nhaldra (✓)
(c) Bydd y math o ddiet fydd gan Rebecca yn effeithio ar ei phwysau a'i thaldra (✓)

(d) B (✓) E (✓)
(e) Byddai'n debyg o ran ei siâp ond byddai'r pwysau'n uwch (✓)

7. Yr Amgylchedd tudalen 44

1. (a) (i) Planhigion (✓)
(ii) Planhigion → pryfed (llygod) → madfallod (nadroedd) → hebogiaid (✓)
(b) Gostwng (✓), bydd mwy o nadroedd yn cael eu dal gan yr hebogiaid a fydd â llai o fadfallod i'w bwyta (✓)
(c) C (✓)

2. (a) A – gludlys (✓), B – gwyddfid (✓), C – clychlys (✓)
(b) (i) Gwalchwyfyn (✓)
(ii) Gwenynen (✓)
(c) Dydyn nhw ddim yn cystadlu am yr un bwyd (✓)
(d) Gwenynen (✓)

Yr Amgylchedd tudalen 46

1. (a) Hollysydd – penbwl (✓), Llysysydd – larfâu mosgito neu chwain dŵr (✓)
(b) (i) Bydd mwy o algâu i'r chwilod dŵr fwydo arnyn nhw gan fod llai o benbyliaid iddynt fwydo arnyn nhw (✓)
(ii) Bydd crethyll yn bwydo mwy ar chwilod dŵr gan fod llai o benbyliaid iddynt fwydo arnyn nhw (✓)
(iii) Mae chwilod dŵr yn bwydo ar benbyliaid yn unig (✓) Gall crethyll symud i fwydo ar larfâu mosgito a chwilod dŵr (✓)

2. (a) Marwolaeth ac allfudo (✓)
(b) (i) Mwya'n byd o wyau gaiff eu dodwy, mwya'n byd o adar mewn oed gaiff eu lladd (✓)
(ii) 11 neu 12 (✓)
(c) Gall lefel y plaleiddiaid ddwysáu ar hyd cadwyn fwyd (✓)
(d) Prinder gorchudd neu brinder math arbennig o fwyd (✓)

8. Mater tudalen 50

1. (a) Mae'n rhewi i wneud iâ (✓)
(b) Dyma dymheredd y rhewgell (✓)
(c) (i) B (✓)
(ii) A (✓)
(d) Mae'r gronynnau mewn nwy lawer ymhellach oddi wrth ei gilydd nag mewn hylif (✓)

2. (a) hydoddiant (✓)
(b) 170.0 g (✓)
(c) Gallai'r dŵr gael ei wresogi (✓)
(d) Gallai wresogi'r hydoddiant er mwyn i'r dŵr anweddu fel y byddai'r halen ar ôl (✓)
(e) B (✓)

Mater tudalen 52

1. (a) Glyserol – hylif (✓), pentan – hylif (✓)
   (b) A (✓) D (✓)
   (c) (i) Maen nhw'n taro yn erbyn waliau'r silindr (✓)
   (ii) Mae'r moleciwlau yn symud yn fwy cyflym (✓) Mae mwy o siawns iddynt daro waliau'r cynhwysydd (✓)

2. (a) Hydoddyn = amoniwm clorid
   Hydoddydd = dŵr (✓)
   (b) Hydoddiant lle na fydd rhagor o'r solid yn medru hydoddi ar y tymheredd hwnnw (✓)
   (c) Maen nhw'n cymysgu â'i gilydd (✓)
   (d) (i) Mae'n cynyddu (✓)
   (ii) 50 g (✓)
   (iii) 70°C (✓)
   (e) Dydy dŵr ddim yn hylif y tu allan i'r amrediad tymheredd hwnnw (✓)

9. Elfennau tudalen 56

1. (a) X (✓) Mae'n dargludo trydan (✓)
   Mae'n adweithio ag asid gwanedig (✓)
   (b) Un briodwedd e.e. dargludydd gwres da neu loyw neu hawdd ei drin neu ymdoddbwynt uchel neu soniarus (✓)
   (c) (i) B (✓)
   (ii) Mg (✓)

2. (a) Bocsys yn cynnwys y symbolau O a Cu wedi'u lliwio (✓)
   (b) Copr – dargludydd trydan da (✓)
   Copr – ymdoddi ar 1085°C (✓)
   Ocsigen – berwi ar –183°C (✓)
   Ocsigen – dargludydd thermol gwael (✓)
   (c) Mae'n ddargludydd trydan da (✓) Mae iddo ymdoddbwynt uchel (✓)
   (d) Mae haearn yn fagnetig neu mae haearn yn rhydu (✓)
   (e) Mae carbon yn solid ar dymheredd ystafell (✓)

Elfennau tudalen 58

1. (a) (i) I

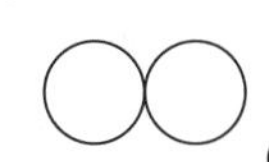

(✓)

   (ii) Carbon deuocsid (✓)
   (iii)

(✓)

   (iv) Dau reswm e.e. rhy drwsgl i'w defnyddio, dim digon o amrywiadau yn y patrwm wrth i elfennau eraill gael eu darganfod, dim cysylltiad amlwg bob amser rhwng y symbolau a'r enwau (✓)(✓)
   (b) Dargludydd trydan gwael (✓) Dargludydd gwres gwael (✓)
   (c) Y rhan i'r dde o'r llinell igam-ogam (✓)

2. (a) (i) Mae A ac C yn fetelau ac mae B a D yn anfetelau (✓)
   (ii) Un briodwedd e.e. gloyw neu hawdd ei drin neu soniarus (✓)
   (b) A – solid, B – hylif, C – hylif, D – solid (✓)
   (c) (i) Mae'n fagnetig (✓)
   (ii) Mae'n hylif ar dymheredd ystafell (✓)

10. Cyfansoddion a chymysgeddau tudalen 62

1. (a) X yw cromatograffaeth (✓) Y yw distyllu (✓)
   (b) Bocs B – Y (✓) Bocs C – X (✓)
   (c) Gronynnau craig (✓) y tu mewn i dwndis hidlo (✓)
   (d) Anweddu'r dŵr o'r hydoddiant (✓)

2. (a) Elfennau – clorin (Cl_2), heliwm (He), ocsigen (0_2) (✓)
   Cyfansoddion – hydrogen clorid (HCl), methan (CH_4), sylffwr deuocsid (SO_2) (✓)
   (b) Carbon + ocsigen → carbon deuocsid (✓)
   (c) Moleciwlau o garbon deuocsid – bocs top (✓)
   Moleciwlau ocsigen – bocs gwaelod (✓)
   (d) Dydy'r cemegau ddim wedi'u cyfuno'n gemegol (✓)
   (e) Distyllu ffracsiynol (✓)

Cyfansoddion a chymysgeddau tudalen 64

1. (a) Hecsan am ei fod yn hydoddi pob inc (✓)
   (b) Byddai inc yn gwahanu ac yn ychwanegu lliwiau at y papur (✓)
   (c) (i) Coch (✓)
   (ii) Mae'r peniau coch a glas gan ddisgybl X (✓) a'r pen gwyrdd gan ddisgybl Y yn cyd-fynd â'r ysgrifen ar y wal (✓)

2. (a) Dydy'r nwyon ddim wedi'u cyfuno'n gemegol (✓)
   (b) Mae methan yn gyfansoddyn gyda 5 atom mewn un moleciwl (✓)
   Mae ocsigen yn elfen gyda 2 atom mewn un moleciwl (✓)
   Mae dŵr yn gyfansoddyn gyda 3 atom mewn un moleciwl (✓)
   (c)

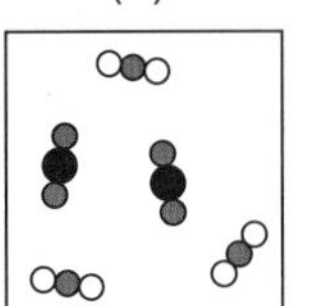

Cymysgedd o garbon deuocsid a dŵr (✓)

   (d) Pan gaiff ei gymysgu â dŵr calch, bydd cymysgedd y carbon deuocsid yn troi'r dŵr calch yn gymylog (✓)

11. Adweithiau cemegol tudalen 68

1. (a) Electrolysis – D (✓) niwtraliad – B (✓) rhydu – A (✓) hylosgi – C (✓)
   (b) (i) A a D (✓)
   (ii) B (✓)
   (c) 11.25 g (✓)
   (d) Ei orchuddio ag olew neu saim (✓), ei beintio neu roi lacr arno (✓)

2. (a) D (✓)
(b) Sylffwr deuocsid (✓), ocsidau nitrogen (✓)
(c) Mae gorsafoedd pŵer yn rhyddhau mwy o garbon deuocsid (✓)
mae ceir a cherbydau yn rhyddhau mwy o garbon monocsid (✓)
(d) Carbon deuocsid (✓)
(e) Mae gronynnau mwg yn baeddu adeiladau (✓)

Adweithiau cemegol tudalen 70

1. (a) Mwyn haearn – dur (✓), olew crai – petrol (✓), siwgr – alcohol (✓)
(b) Dadelfeniad thermol (✓)
(c) Bas (✓), niwtraliad neu niwtraleiddio (✓)
(d) Mae rhai llygryddion yn achosi i'r glaw droi'n asidig (✓) Mae'r glaw asid yma yn adweithio gyda chalchfaen a bydd yn treulio (✓)

2. (a) (i) Newid lliw (✓), rhyddhau nwy (✓)
(ii) Màs yn newid neu'n cael ei golli (✓)
(b) Mercwri ocsid → mercwri + ocsigen (✓)
(c) Rhydwytho (✓)
(d) (i) Ffisegol (✓), cemegol (✓)
(ii) Ocsidiad neu ocsidio (✓)
(iii) Mewn aer, mae ocsigen yn cael ei wanhau gan nwyon eraill (✓)

12. Creigiau tudalen 74

1. (a) (i) Gwres (tymheredd uchel) (✓) gwasgedd (✓)
(ii) C (✓)
(b) B (✓)
(c) X yn y môr(✓) Y ar y mynyddoedd (✓) Z ar hyd yr afon (✓)

2. (a) A a C (✓)
(b) Cafodd llawer o wres ei ryddhau wrth i'r magma oeri i ffurfio creigiau igneaidd (✓) Newidiodd y gwres y tywodfaen (✓)
(c) (i) Tywodfaen
(ii) Mae'r creigiau igneaidd wedi gwthio eu hunain drwy'r haenau o graig sydd yno (✓)
(d) Roedd y magma wedi oeri'n fwy araf wrth ffurfio gwenithfaen (✓)

Creigiau tudalen 76

1. (a) B – igneaidd (✓) C – metamorffig D – gwaddod (✓)
(b) (i) C (✓)
(ii) B (✓)
(c) Bydd grisialau bychan yn y creigiau wrth Y am fod y magma wedi oeri'n fwy cyflym yno (✓) Wrth Z roedd y magma wedi oeri'n fwy araf felly mae'r grisialau'n fwy (✓)
(d) O hylif i solid (✓)
(e) Mae'r màs mwy dwys o fagma ger W yn rhyddhau mwy o wres wrth iddo oeri ac felly mae ei effaith ar y creigiau o'i gwmpas yn fwy (✓)

2. (a) D (✓)
(b) Mae creigiau yn ehangu pan fyddant yn cael eu gwresogi ac yn cyfangu pan fyddant yn oeri (✓) O ganlyniad i hynny byddant yn cracio (✓)
(c) Bydd dŵr yn mynd i mewn i'r craciau yn y tywodfaen (✓) Pan fydd yn rhewi bydd yn ehangu i ffurfio iâ a bydd hyn yn achosi i'r graig hollti (✓)
(d) Pan fydd yr afon yn symud yn gyflym bydd yn codi gronynnau o graig ac yn eu cludo i lawr yr afon (✓) Wrth i'r afon nesáu at y môr bydd yn arafu a bydd y gronynnau yn disgyn ac yn cael eu dyddodi (✓)

13. Y Gyfres Adweithedd tudalen 80

1. (a) Calsiwm (✓)
(b) Magnesiwm neu haearn (✓)
(c) Copr (✓)
(d) Calsiwm, magnesiwm, haearn, copr (✓)
(e) Hydrogen (✓)

2. (a) Magnesiwm, sinc, haearn, copr (✓)
(b) Copr + sinc sylffad (✓)
(c) Bydd lliw glas yr hydoddiant yn gwanhau (✓) Bydd naill ai dyddodion brown o'r copr yn ffurfio neu bydd y sinc llwyd yn diflannu (✓)
(d) (i) Magnesiwm (✓) (ii) Copr (✓)

Y Gyfres Adweithedd tudalen 82

1. (a) D, B, C, A (✓)
(b) (i) A (✓) (ii) D (✓)
(c) Sinc + haearn sylffad → sinc sylffad + haearn (✓)
(d) Mae calsiwm yn fwy adweithiol na hydrogen (✓)
(e) Mae dŵr yn adweithio gyda chalsiwm i wneud hydrogen (✓) Mae hydrogen yn nwy fflamadwy (✓)

2. (a) Sinc, haearn, tun a phlwm (✓)
(b) (i) Magnesiwm neu alwminiwm neu sinc (✓)
(ii) Sodiwm (neu dun neu blwm) (✓) Mae sodiwm yn rhy adweithiol ac yn adweithio gyda dŵr (mae tun/plwm yn llai adweithiol na haearn ac ni fyddai'n cyrydu) (✓)
(c) (i) Byddai'r alwminiwm yn adweithio â'r sudd riwbob (✓)
(ii) Mae copr yn anadweithiol (✓)

14. Asidau ac alcalïau tudalen 86

1. (a) B (✓) E (✓)
(b) (i) past dannedd – alcalïaidd (✓), dŵr distyll – niwtral (✓), glanhäwr popty – alcalïaidd (✓), llaeth – asidig (✓)
(ii) A (✓)
(c) Ffisian (swigod) wrth i nwy gael ei ryddhau (✓)

2. (a) C (✓)
(b) D (✓)
(c) Magnesiwm clorid (✓)
(d) Ei hidlo er mwyn cael y magnesiwm sydd heb adweithio oddi yno (✓) Anweddu'r hydoddiant er mwyn tynnu'r dŵr o'r halen (✓)
(e) Asid sylffwrig gwanedig (✓)

Asidau ac alcalïau tudalen 88

1. **(a)** Potasiwm hydrogensylffad a sodiwm carbonad (✓)
   (b) (i) Carbon deuocsid (✓)
   (ii) Mae nwy yn cael ei fyrlymu drwy ddŵr calch (✓) Mae'r dŵr calch yn troi'n gymylog (✓)
   (iii) Sodiwm clorid (✓)
   (c) C (✓)
2. **(a)** Alcalïaidd (✓)
   (b) Nid yw'n wenwynig (✓) Mae'n hydawdd mewn dŵr (✓)
   (c) Sodiwm tartrad (✓)
   (d) Carbon deuocsid (✓)
   (e) Byddai'r lleithder sydd yn yr atmosffer yn dechrau'r adwaith rhwng y cemegau sydd ynddyn nhw (✓)

15. Egni tudalen 92

1. **(a)** Y batri (✓)
   (b) A (✓)
   (c) (i) trydanol (✓) cinetig (✓)
   (ii) gwres (thermol) (✓)
2. **(a) (i)** D (✓), F (✓)
   (ii) Rydym yn defnyddio glo lawer yn gyflymach nag y mae'n cael ei greu. (Bydd y ffynhonnell yma o egni yn dod i ben yn y pen draw) (✓)
   (b) Yr Haul (✓)
   (c) Tân – coed (✓), Car – petrol (✓), Gwresogydd Bunsen – nwy (✓)
   (d) (i) Nwy (✓)
   (ii) Coed (✓)
   (iii) Petrol (✓)

Egni tudalen 94

1. **(a)** Biomas – cafwyd yn anuniongyrchol o'r Haul (✓), Geothermol – ni chafwyd o'r Haul (✓), Solar – cafwyd yn uniongyrchol o'r Haul (✓), Gwynt – cafwyd yn anuniongyrchol o'r Haul (✓)
   (b) (i) Cinetig (✓), 5 (✓)
   (ii) $40 \times \frac{30}{100} = 12$ kJ (✓)
   [oherwydd dim ond 30 J allan o 100 J sy'n egni cinetig defnyddiol. Gweler y diagram.]
   (c) Na, mae'n cael ei drosglwyddo fel gwres i'w amgylchoedd (✓) [Mae egni yn cael ei 'gadw'. Mae cyfanswm yr egni yn aros yr un fath.]
2. **(a)** Cemegol → gwres
   (neu gwres → cinetig, neu cinetig → trydanol) (✓)
   (b) Mae'n gwresogi'r boeler ac mae'n cael ei golli i'r aer a'r amgylchoedd (✓)
   (c) Wrth i'r egni ymledu bydd yn cynhesu'r holl amgylchoedd ryw ychydig ond fydd hynny ddim yn ddigon i droi'r dŵr yn ager (✓)
   (d) Tymheredd y dŵr – cynyddu (✓), symudiad y moleciwlau dŵr – symud yn gyflymach (✓), cyfanswm egni'r dŵr – cynyddu (✓)
   (e) Dyma gyfanswm yr holl egni (cinetig) sydd yn yr holl atomau yn y dŵr (✓)

16. Golau tudalen 98

1. **(a)** D (✓)
   (b) Mae Amy yn gallu gweld Ben a Dan (✓), mae Ben yn gallu gweld Amy a Dan (✓), mae Carys yn gallu gweld Dan (✓), mae Dan yn gallu gweld Amy, Ben a Carys (✓)
   (c) (i) Drych (✓)
   (ii) Byddai'n adlewyrchu'r golau oddi ar Carys at Amy (✓)
   (d) Mae'n cael ei rannu'n wahanol liwiau (✓) [drwy wasgaru golau gwyn yn y dafnau glaw]
2. **(a) (i)** Mae'n gyflym iawn (✓)
   (ii) C (✓)
   (iii) A (✓)
   (b) (i) Gloyw neu sgleiniog (✓)
   (ii) Mae'n adlewyrchu'r holl olau i un cyfeiriad (✓)

Golau tudalen 100

1. **(a)** Gwasgaru
   (b) G yng nghanol y sgrin yn union rhwng y ddau belydryn (✓)
   (c) (i) Dim ond y golau gwyrdd y byddan nhw'n ei adlewyrchu (mae'r holl liwiau eraill yn cael eu hamsugno) (✓)
   (ii) Du (✓) [am fod y golau i gyd yn cael ei amsugno]
   (d) Mae'r holl liwiau sydd yn y golau gwyn yn cael eu hamsugno ar wahân i'r lliw gwyrdd sy'n mynd drwy'r hidlydd (✓)
2. **(a) (i)** B (✓)
   (ii)

ffenestr y camera
aderyn A
aderyn B
aderyn C
aderyn D
aderyn E

(✓)(✓)

   (iii) Pwyntio'r camera yn is i lawr (✓)
   (b) C (✓)

17. Sain tudalen 104

1. **(a) (i)** Drwy'r aer (✓)
   (ii) Tympan y glust (✓) [mae'n digrynu ac felly yn anfon negeseuon i'w ymennydd]
   (b) D (✓)
   (c) (i) Mae'n cynyddu (yn mynd yn uwch) (✓)
   (ii) Mae'n aros yr un fath (✓)

2. **(a)** Dirgrynu (✓)
   (b) (i) Bydd y sain yn cael ei hadlewyrchu gan y wal frics (✓)
   (ii) Fel na fydd y sain yn gwneud niwed i'w chlustiau (✓)
   (c) (i) Bydd yr amrediad yn mynd yn llai (✓) [fel arfer fydd pobl hŷn ddim yn gallu clywed nodau uchel]
   (ii) Mae'r seiniau y tu allan i'r amrediad clywadwy (Mae'r traw yn rhy uchel i ni ei glywed) (✓)

Sain tudalen 106

1. **(a)** A (✓)
   (b) (i) Mae'r amledd yn wahanol am fod y tonfeddi'n wahanol (✓)
   (ii) Mae osgledau'r tonnau yn wahanol (✓)
   (c) (i) D (✓)
   (ii) Mae iddo'r un amledd (yr un donfedd) â math D (✓) [4 sgwâr ar y sgrin] [er bod y cryfder yn llai]

2. **(a) (i)** Gwneud iddo ddirgrynu (✓)
   (ii) Am fod golau'n teithio'n gyflymach na sŵn (✓)
   (iii) $\frac{5}{3}$ km = 1.67 km (✓)
   [5 eiliad ÷ 3 eiliad y km]
   (b) (i) Cynyddu (✓) [Mynd yn uwch]
   (ii) Arhosodd yr un fath (✓)

18. Grymoedd tudalen 110

1. **(a) (i)** I'r chwith (✓) [i gyfeiriad dirgroes i dyniad yr awyren] (✓)
   (ii) C (✓)
   (b) B (✓)
   (c) C (✓)
   (d) Nid oes grym tynnu mwyach ond mae yna rym ffrithiant o hyd (✓) [rhwng yr awyren a'r aer]

2. **(a)** 2.5 km (✓)
   (b) (i) B (✓)
   (ii) C (✓)
   (c) C (✓)
   (d) Tynnu'r lifer yn galetach (✓) Tynnu'r lifer wrth bwynt ymhellach i ffwrdd o'r colyn (✓)

Grymoedd tudalen 112

1. **(a)** I leihau ffrithiant [rhwng y car a'r aer] (✓)
   (b) 1 – 250 (✓), 2 – 7.0 (✓), 3 – 1560 (✓)
   (c) Dydy'r car ddim yn teithio ar fuanedd cyson ar hyd yr adeg (✓)
   (d) Mae'n arafu'r car (✓) Y rheswm am hyn yw ei fod yn cynyddu grym y ffrithiant â'r aer (✓)

2. **(a) (i)** 50 x 15 = 750 (✓)
   (ii) Tynnu'r ddolen i lawr â grym cryfach (✓) Tynnu yn nes at ben y ddolen (ymhellach oddi wrth y colyn) (✓)
   (b) (i) 150 (✓)
   (ii) $\frac{150\ \text{N}}{0.1\ \text{mm}^2}$ = 1500 (✓) N/mm^2 (✓)

19. Cysawd yr Haul tudalen 116

1. **(a)** A (✓)
   (b)

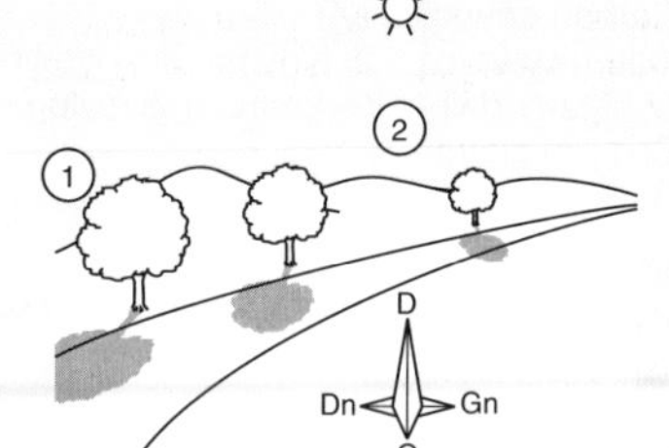

   (c) (i) 1 flwyddyn (✓)
   (ii)

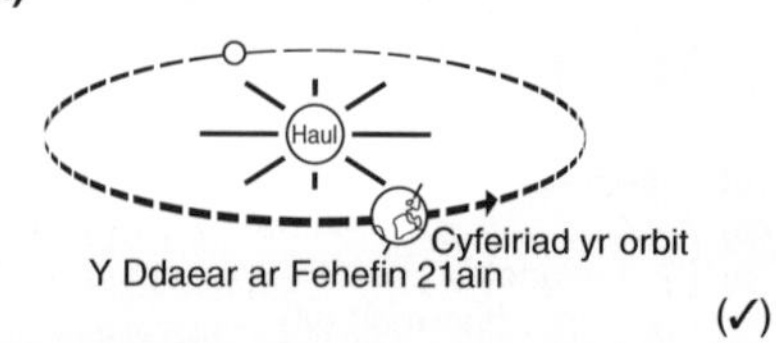

(✓)

2. **(a) (i)** Mercher neu Gwener (✓)
   (ii) Mawrth neu Iau (✓)
   (b) C (✓)
   (c) Maen nhw'n adlewyrchu golau o'r Haul (✓)
   (d) Ar ddiagram B:

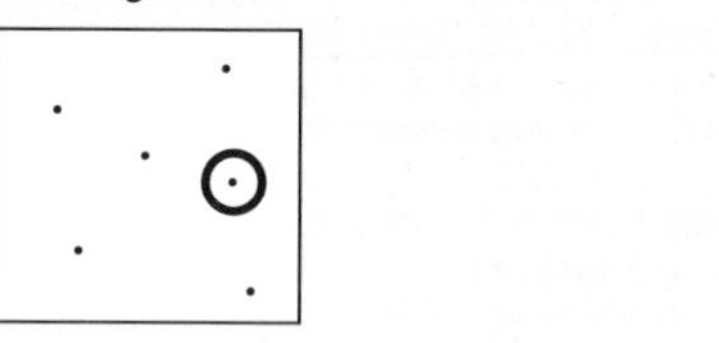

(✓)

Cysawd yr Haul tudalen 118

1. **(a)** C (✓)
   (b) Io, oherwydd mae'n agosach at Iau (✓) [ac mae gan y ddau leuad fàs sydd (bron) yr un faint]
   (c) Io, oherwydd mae'n agosach at Iau (✓) [mae'n symud yn gyflymach, felly nid yw'n disgyn]
   (d) Wrth iddi nesáu, roedd y tyniad disgyrchiant yn cynyddu (✓)
   (e) Mae'r lleuadau yn effeithio ar eu horbit eu hunain gan eu bod i gyd yn gweithredu tyniad disgyrchiant ar ei gilydd (✓)

2. **(a) (i)** B (✓)
   (ii) C (✓)
   (b) Yn yr haf, mae'r rhan ogleddol o'r Ddaear yn gogwyddo tua'r Haul (✓) [gweler diagram B]
   (c) Dim ond y sêr sydd ar yr ochr ddirgroes (ar yr ochr arall) o'r Ddaear i'r Haul y gallwn eu gweld, h.y. y sêr sydd ar ochr nos y Ddaear (✓)
   Yn ystod y flwyddyn, bydd y Ddaear yn symud o gwmpas yr Haul felly bydd ochr y nos yn edrych ar wahanol sêr (✓)

20. Cylchedau trydanol tudalen 122

1. **(a)** **(i)** yn fwy disglair (✓) [foltedd llawn ar draws pob cell].
   (ii) yn llai disglair (✓) [dim ond un gell]
   (iii) wedi'u diffodd (✓) [celloedd yn cyferbynnu ei gilydd]
   (b) B (✓)
   (c) A2 = 0.1 A (✓), A4 = 0.2 A (✓)

2. **(a)** **(i)** 2 (✓)
   (ii) 4 (✓)
   (b) **(i)** Llai disglair (✓)
   (ii) Yn dawelach (✓)
   (c) 3 neu 4 (✓)

Cylchedau trydanol tudalen 124

1. **(a)** Electronau (✓)
   (b) **(i)** Dim un (✓)
   (ii) X ac Y (✓)
   (c) **(i)** X – yn diffodd (✓) [wedi'i fyrgylchedu]
   Y – yn diffodd (✓) [yr un rheswm]
   (ii) Byddai'n cynyddu (✓) [llai o wrthiant]

2. **(a)** D (✓)
   (b) **(i)**

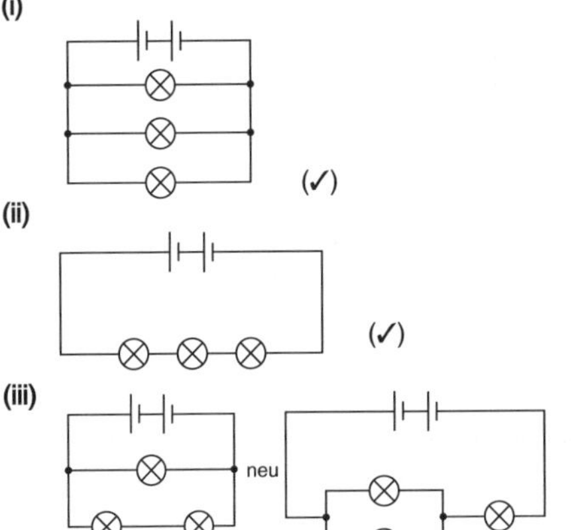

(✓)(✓)(✓)

   (c) Yng nghylched b(ii), oherwydd bod llai o egni trydanol yn cael ei drosglwyddo bob eiliad yn egni golau (✓) [mae'r bylbiau yn bŵl]

21. Magnetedd tudalen 128

1. **(a)** B (✓)
   (b) **(i)** Haearn (✓) [dydy dur ddim yn elfen]
   (ii) Pwynt Y – pôl-D (✓) Pwynt Z – pôl-D (✓)
   (iii) Pan fydd y magnet yn cael ei dynnu i ffwrdd, fydd y bar metel ddim yn fagnet mwyach (felly ni fydd yn atynnu'r hoelen mwyach) (✓)

2. **(a)** e.e. Rhowch bôl-G magnet A wrth ddau ben magnet B hyd nes y bydd yn gwrthyrru'r pôl-G (✓) Yna mae'n rhaid mai dyma'r pôl-G (ac mai'r pen arall yw pôl-D) (✓)
   (b) **(i)** Caeodd y switsh (ac felly cafodd y lamp ei droi ymlaen) (✓)
   (ii) Mae'r cyrs haearn wedi troi'n fagnetau ac mae'r pennau yn atynnu ei gilydd (✓)
   (c) Pan fydd cerrynt trydan yn llifo drwy'r coil bydd yn troi'n fagnet (electromagnet) (✓)

Magnetedd tudalen 130

1. **(a)** **(i)** o – p nac ydy (✓), q – r ydy (✓), s – t ydy (✓)
   (ii) Defnyddio magnet (neu gwmpawd) a phrofi pob pen i weld a fyddai'n gwrthyrru (neu hongian pob un fel cwmpawd?) (✓)
   (b)

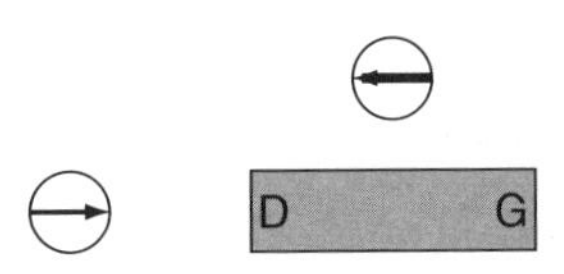

   (c) Dyma bôl magnetig y De (✓)

2. **(a)** **(i)** Troi'r wifren yn agosach neu gynyddu'r cerrynt (✓)
   (ii) Cyfrif sawl clip papur y gall ei ddal (neu atynnu bar haearn sydd ar glorian â'r ddysgl ar y top neu, allwyro nodwydd cwmpawd) (✓)
   (b) **(i)** Bydd y cysylltiadau yn cau (✓) [am fod y rociwr haearn yn cael ei atynnu at yr electromagnet]
   (ii) Er mwyn cryfhau'r electromagnet (✓) [maes magnetig cryfach]
   (iii) Mae'n fagnetig ond nid yw'n cadw ei fagnetedd ar ôl i'r cerrynt gael ei ddiffodd (✓)

Awgrymiadau ar gyfer y Profion

Mae'r Profion yn cael eu cynnal fel arfer ym mis Mai ym Mlwyddyn 9. Wrth i'r amser nesáu gwnewch yn siŵr eich bod yn barod ar eu cyfer.

Yn union cyn y Profion:

- Adolygwch eich gwaith yn ofalus. Gallwch ddefnyddio'r adrannau ***Gwybodaeth hanfodol*** yn y llyfr yma i'ch helpu.
- Gallwch adolygu hefyd drwy ddarllen y ***Profion Cyflym*** a'r profion eraill a'r Atebion iddynt.
  Ceisiwch ateb y cwestiynau cyn darllen yr atebion.
- Gofynnwch i'ch athro am hen gopïau o'r Profion o'r blynyddoedd cynt. Ceisiwch wneud cymaint ag y gallwch ac amserwch eich hun.
- Ar ddiwrnod y Profion gwnewch yn siŵr eich bod yn mynd â'r offer cywir gyda chi, sef, fel arfer: pen, pensil, rwber, pren mesur, onglydd a chyfrifiannell.
  Mae watsh yn ddefnyddiol hefyd fel y gallwch amseru eich hun.

Yn yr ystafell arholiad:

- Darllenwch bob cwestiwn yn ofalus. Gwnewch yn siŵr eich bod yn deall y cwestiwn a beth y mae'n gofyn i chi ei wneud.
- Faint o fanylion y mae angen i chi ei roi? Ydy'r cwestiwn yn rhoi cliw i chi?
  - Rhowch atebion byr i gwestiynau sy'n dechrau â'r geiriau '*Nodwch...*' neu '*Rhestrwch...*' neu '*Enwch...*'
  - Rhowch atebion mwy manwl os cewch gwestiynau yn dechrau â'r geiriau '*Eglurwch...*' neu '*Disgrifiwch...*' neu os bydd yn gofyn '*Pam mae...* ?'.
- Fel arfer, bydd nifer y marciau ar y dudalen yn dweud wrthoch chi faint o bwyntiau mae'r arholwr yn edrych amdanyn nhw yn eich ateb.
- Mae nifer y llinellau hefyd yn rhoi rhyw syniad i chi faint sydd angen ei ysgrifennu.
- Os bydd rhyw gwestiwn yn rhy anodd i chi, ewch ymlaen at yr un nesaf ond ceisiwch ysgrifennu rhywbeth am bob cwestiwn.
- Os bydd amser gennych dros ben ar ddiwedd y prawf, ewch yn ôl dros eich atebion.

Cydnabyddiaethau

Allsport: 18 Elda Hacch; Britstock-IFA: 120 Chris Walsh; Martyn Chillmaid: 78R; Rex Features: 104 Brian Rasic; Robert Harding Picture Library: 12, 54; Science Photolibrary: 78L, 84 Dr J Burgess, 126R,L, 135 Alfred Pasieka, 139 Fred Burrell; Telegraph Colour Library: 96 L Lefkowitz; Tony Stone Images: 24 Ron Sutherland, 36 Lori Adamski Peek, 60 Jean-François Causse, 90 Chad Slattery; Topham Picture Point: 108 Tom Scott/MJB.

Diolch i Lawrie Ryan, Derek McMonagle, Colin McCarty, Geoff Hardwick a'r tîm yn Ysgol Alsager, John Bailey, John Hepburn ac Adrian Wheaton.

Cyhoeddwyd gyntaf yn 1998 gan Stanley Thornes (Publishers) Ltd, Delta Place, 27 Bath Road, CHELTENHAM GL 53 7TH

Cyhoeddwyd y fersiwn Cymraeg gyntaf ym mis Mawrth 2002 gan
Y Ganolfan Astudiaethau Addysg, Prifysgol Cymru Aberystwyth, Yr Hen Goleg, ABERYSTWYTH, Ceredigion SY23 2AX

Cyhoeddwyd gyda chymorth ariannol Awdurdod Cymwysterau, Cwricwlwm ac Asesu Cymru (ACCAC)

ISBN 1 85644 698 0

Addasiad Cymraeg gan Janice Williams
Paratowyd ar gyfer y wasg gan Glyn Saunders Jones
Dyluniwyd gan Owain Hammonds
Ar ran ACCAC: Helen Baker, Chris James, Ian Morris Jones
Gwaith celf gwreiddiol gan Peters a Zabransky a Magnet Harlequin.
Argraffwyd gan Argraffwyr Cambria

Mynegai